familia

POR LA SUPERACIÓN DEL SER HUMANO Y SUS INSTITUCIONES

Ken y Elizabeth Mellor

Cómo ser feliz en familia

Lo mínimo que debe saber para lograrlo

COMO SER FELIZ EN FAMILIA

Previamente publicado bajo el título de:
COMO TENER UNA FAMILIA FELIZ

Título original en inglés:
THE HAPPY FAMILY

Originally published in Australia and
New Zaaland as The Happy Family by
Finch Publishing Pty Limited, Sidney

Ilustraciones de Andrew Bell

Portada:
Fotografía: Archivo Digital/Digital Stock

Traducido al español por:
Laura Garibay

Primera edición en español: 2013
© Panorama Editorial, S.A. de C.V.
Manuel Ma. Contreras 45-B
Col. San Rafael 06470 - México, D.F.

Tels.: 55-35-93-48 • 55-92-20-19
Fax: 55-35-92-02 • 55-35-12-17
e-mail: panorama@iserve.net.mx
http://www.panoramaed.com.mx

Printed in Mexico
Impreso en México por:
Impre Imagen
José María Morelos y Pavón
Mz. 5 L. 1 Col. Nicolás Bravo
55296 - Ecatepec Edo. de México.
ISBN 978-607-452-425-3

Reconocimientos

Nuestro trabajo en tantos entornos diferentes estimuló nuestro interés en los aspectos de la vida familiar que hemos incluido en este libro. Muchas personas de diversos estilos de vida han contribuido, y agradecemos a todos los que nos brindaron su ayuda directa e indirectamente por la parte que jugaron en esto.

Muchos cientos de familias estuvieron a nuestra disposición durante años y les damos las gracias a todas por su apertura y las facilidades que nos dieron para entrar a sus hogares y sus vidas. Hacemos manifiesta nuestra admiración a su dedicación para guiar a sus familias y hacer lo más que podían por todos.

Agradecemos específicamente a Averil Coe, Sara Parsons, Steve y Shaaron Biddulph y David Carman por sus contribuciones.

Agradecemos a todos nuestros colegas y amigos por su continuo estímulo y apoyo, y particularmente a Rex Finch de Finch Publishing por su idea inicial de crear la Busy Parent Series y por pedirnos contribuir con los primeros dos libros de nuestro trabajo en *ParentCraft*. Con su acostumbrado entusiasmo y profesionalismo, él nos ayudó a elaborar un plan que encajara el trabajo necesario con nuestro horario ocupado.

Vaya un muy grande agradecimiento para las numerosas personas que nos dieron retroalimentación sobre *ParentCraft*, elogiándolo casi de manera unánime y diciéndonos de manera general y específica la ayuda que les proporcionó.

Finalmente, damos las gracias a todos los que leyeron el manuscrito en sus diversas etapas. Apreciamos sus opiniones en todo lo que valen.

Índice

Introducción

En la actualidad el mundo está cambiando de manera acelerada; en cierta forma, en medio de estos cambios, tenemos que criar a nuestros hijos de manera que aprendan a vivir en el mundo adulto que los espera cuando lleguen a la madurez. Las familias son los cimientos de este aprendizaje y son, de igual forma, el apoyo inmediato para todos nosotros; física, emocional, mental y espiritualmente, por eso es importante que los hagamos todo lo felices que sea posible.

Esto lo podemos lograr si aprendemos a manejar bien a la familia. Por supuesto, se requiere tiempo —una mercancía que a veces parece escasear— y ya tenemos muchas cosas que hacer. Sin embargo, si no nos damos ese tiempo, el costo será muy elevado porque cuando la familia como unidad se empieza a tambalear, todos sus miembros generalmente tendrán grandes dificultades para enfrentar lo que la vida les presente. Lidiar con los problemas por lo general toma más tiempo que los sencillos requisitos que exige un buen manejo familiar.

Así, desde el punto de vista práctico, lo que debemos hacer es obvio y, para hacerlo, necesitamos actuar de una manera que nos resulte cómoda y que genere buenos resultados lo más fácil y eficazmente que se pueda. La información y sugerencias contenidas en este libro están diseñadas para lograr esto, y para hacerlo de la manera más agradable posible. Hemos elegido estas sugerencias en particular porque ya han funcionado en cientos de familias; confiamos en que también sean útiles en la suya.

Buscar información

Para encontrar la información que busca sin mucha dificultad, hemos organizado el libro de varias formas. Cuenta con un índice detallado y un índice analítico extenso. Todos los capítulos incluyen diversos encabezados también para que, a medida que avanza en el libro, pueda ver con claridad lo que contiene cada parte. Finalmente, los temas están divididos en secciones fáciles de manejar para que pueda ahondar en la obra un poco cada vez. Muchos padres de familia nos comentan que, para ellos, es muy agradable poder encontrar lo que quieren con tanta facilidad, ya que sólo necesitan leer un poco para obtener útiles consejos.

Adapte lo que lee a su situación específica

Son numerosas las familias que han contribuido a lo que usted encontrará aquí. Casi todas las que consideraríamos "felices" ya manejaban bien las cosas, pues habían encontrado formas simples y prácticas de hacer las cosas. Hemos incluido esto. De igual manera, es necesario tomar lo que lea y adaptarlo a su familia en particular; nuestras sugerencias son generales, vienen ilustradas con varios ejemplos específicos y es necesario que las ponga usted a prueba para obtener los resultados que busca.

Nuestras fuentes

Como ya dijimos, nuestras fuentes primarias de la mayor parte de la información fueron familias felices y funcionales. Una fuente más inmediata fue nuestro libro *ParentCraft: Essential skilss for raising children from infancy to adulthood* (Finch, Sydney, 1999). Parte del material original se modificó un poco para adaptarlo a este nuevo formato, aunque la mayoría se mantiene sin cambio.

Nuestra experiencia

Al igual que en el manejo de nuestra propia familia, nos apoyamos en más de 30 años de experiencia. Hemos trabajado como consejeros matrimoniales y familiares, como gestores en numerosos entornos y como asesores de maestros, administradores y directores en la industria y el comercio. Toda esta experiencia se suma a lo que nosotros entendemos que podría funcionar en las familias felices y funcionales. Asimismo, fuimos los líderes de una comunidad residencial basada en el espíritu para unidades de familia durante un periodo de ocho años en la década de los 90.

1

Su labor como padre

Este capítulo es una descripción breve del trabajo para los padres, y la principal idea es que usted sepa lo que encontrará en el resto del libro y destacar varias cosas que proporcionan un contexto importante a gran parte del contenido.

Los principales deberes

Nuestras dos obligaciones principales como padres es cuidar a nuestros hijos y hacer funcionar a la familia. Existen muchas alegrías y placeres involucrados, junto con una buena cantidad de retos; saboreamos los primeros y enfrentamos los segundos. Como seguramente usted ya sabe, también hay recompensas para los padres que son maravillosas por sí mismas y se suman a nuestros incentivos para hacer todo lo mejor que podamos. Vale la pena mencionarlas y recordarlas.

- "Me encantan cuando se acercan a mí sonriendo y quieren un abrazo".
- "Verlo dormir desde la puerta es un regalo muy grande".
- "Cuando me cuenta entusiasmada lo que pasó en su día, me contagia su entusiasmo".
- "Mi mayor premio es verla arreglada para salir con el novio".

Todo lo que hacemos diariamente es parte del trabajo, y hay cientos y quizás miles de cosas al día. Piense tan sólo en lo que ya hizo hoy:

- Bañar, vestir y dar de comer a los niños
- Llevarlos a la escuela o recogerlos en ella después
- Pagar las cuentas, ir al banco
- Lavar la ropa, aspirar la casa, ir de compras, preparar la comida
- Ir hacia y del trabajo, y trabajar todo el día
- Ayudar con o revisar la tarea
- Jugar con los niños pequeños, hablar con los mayores
- Arreglar un juguete o bicicleta rotos o descompuestos
- Hablar de los niños con su pareja

Todas estas actividades se dividen en seis labores o deberes básicos que todos los padres tienen que cumplir.

1. Mantener seguros a los niños.
2. Ayudarles a vivir bien.
3. Enseñarles a vivir en el mundo.
4. Ser constante todo el tiempo que sea necesario.
5. Cuidar de nosotros mismos.
6. Hacernos cargo de la familia.

Proteja a sus hijos

La seguridad ***siempre*** es importante, y debemos pensar en los posibles peligros donde quiera que se encuentren los niños y tomar medidas prácticas para manejarlos desde antes.

Una joven madre fue a la tienda en bicicleta con su pequeño de año y medio sentado en un asiento extra para bicicleta, detrás de ella. Apoyó la bicicleta contra el aparador de la tienda y entró, dejando a su pequeño en la parte posterior de la bici. Como era de esperar, en cuestión de minutos, se escucharon gritos de alarma y dolor cuando la bicicleta cayó al suelo. El bebé se fracturó un brazo, pero fue algo que pudo evitarse.

Mantener a los niños a salvo

Un poco de reflexión puede evitar las tragedias innecesarias como los bebés que quedan colgados en los cordeles de las cortinas, o los infantes que son atropellados cuando se mueve un auto en reversa, los niños que se ahogan en las piscinas, y otros accidentes en los que los pequeños resultan lastimados, mutilados o muertos.

> Es importante sentarse y prestar atención a todos los ruidos de casa y sus alrededores y que pueden representar una amenaza. Así podemos proteger a nuestros hijos de manera adecuada y enseñarles a manejar estas cosas en forma segura.

Por lo general, nuestras responsabilidades son claras. Cuando los hijos son bebés, su seguridad depende de nosotros totalmente; a medida que crecen, va aumentando la responsabilidad de ellos en este asunto, pero nuestra labor no termina. Incluso cuando se acercan a la edad adulta y podemos esperar, con cierta razón, que ellos actúen con sensatez y cuidado, todavía debemos seguir alerta y ofrecer nuestra guía siempre que sea necesario.

La necesidad de estar atentos resulta muy obvia para muchos padres, pero no para otros. En nuestros contactos con la gente a lo largo de los años, nos hemos dado cuenta de que son muchísimos los padres de familia que no conocen los aspectos básicos de la seguridad. Cuando hablamos con ellos, sus comentarios nos sorprendieron.

- "Antes de que llegaran los niños, creí que sabía qué hacer. Una vez que estuvieron aquí, ya no supe qué hacer".
- "Solía fingir que sabía lo que estaba haciendo, pero la verdad es que no tenía idea".

He aquí una lista breve de algunas cosas elementales que necesitamos hacer para asegurarnos de que nuestros hijos estén seguros.

- Cuando son pequeños, hay que mantenerlos a la vista siempre que ***exista la posibilidad*** de meterse en problemas.

- Explíqueles los riesgos que implica el fuego, las estufas, los calentadores, la electricidad, los cuchillos, las pistolas y demás peligros, y cuídelos hasta que estén seguros con ellos.
- Enséñeles a cruzar las calles con seguridad (por lo general no cuando estén solos antes de cumplir los nueve o diez años de edad).
- Enséñeles a protegerse de los predadores sexuales.
- Asegúrese de que saben usar con seguridad los patines, las bicicletas, las patinetas y demás vehículos recreativos.
- Dígales cómo deben manejar los peligros de la naturaleza, como las serpientes, las arañas, los incendios, los riesgos del agua, el sol, el hielo y la nieve.
- Sepa siempre donde se encuentran y de qué forma los devolverán a casa seguros cuando vayan a visitar a sus amigos, a fiestas y otras salidas similares.
- Enséñeles a decir "No" y marcar límites consigo mismos y con los demás que podrían colocarlos en una situación de riesgo.
- Hábleles de los riesgos de diversas actividades como el consumo de drogas, conducir de manera arriesgada, beber alcohol y conducir, y nadar o bucear en lugares peligrosos.

A nosotros nos toca enseñar a los hijos lo que necesitan saber para vivir seguros en el mundo. Para hacerlo bien, debemos proporcionarles todo tipo de protección necesaria, hasta que aprendan a protegerse solos.

Ayúdeles a vivir bien

Vivir bien es importante y los padres generalmente hacen todo lo que pueden para ayudarles a sus hijos a hacerlo.

Dividir esto en tres secciones nos ayuda a ver con más claridad de lo que se trata: salud, felicidad y realización.

Salud

La salud de los niños es sostenida al principio por las cosas que hacemos al darles de comer, bañarlos, vestirlos, darles casa y mantenerlos sanos. A medida que van creciendo, ellos van asumiendo poco a poco esa responsabilidad; cuando ya están saliendo de la adolescencia, ya manejan todos esos requisitos de salud de manera rutinaria. Darles una educación básica en términos de salud y asegurarnos de que vivan de esa forma es parte de nuestra labor.

Al igual que con la cuestión de la seguridad, hemos encontrado a muchos padres que no están conscientes de, o saben muy poco sobre cómo vivir sanos. Esto significa que no pueden transmitir a sus hijos los aspectos básicos del vivir sanos.

Los niños deben aprender cosas como:

- Qué comer, cuándo hacerlo y qué no comer
- Mantener el calor cuando hace frío y la frescura cuando hace calor
- Hacer ejercicio y descansar de manera equilibrada
- El valor del personal de salud, como los médicos, dentistas y homeópatas
- Vivir activamente
- Cuidarse bajo el sol y en el frío extremo
- Tomar la mayor cantidad posible de aire fresco
- Cómo cuidarse cuando están enfermos o se lesionan
- Cómo asumir la responsabilidad de cuidarse solos

También es nuestra responsabilidad estar pendientes de las señales de cuando algunas cosas específicas no están funcionando. Si sospechamos algo así, es necesario investigar qué sucede, buscar opiniones para manejar cualquier problema y hacer lo que es necesario. Una lista breve es: problemas con cualquiera de los cinco sentidos, en particular la vista y el oído; un crecimiento anormal de los miembros inferiores o superiores; alguna lesión cerebral que cause dislexia u otros problemas; y el desarrollo de dientes en mala posición.

Bill lloraba mucho, incluso a veces gritaba de dolor. Sus angustiados padres ya no sabían qué hacer. La revisión médica no señalaba nada. Cuando les aconsejaron hacerle un estudio osteópata craneal para revisarle la cabeza y el cuello por posibles lesiones congénitas, los resultados les encantaron. Apenas unas cuantas sesiones lo transformaron en un bebé tranquilo, feliz y normal.

Mary y Angus comenzaron a sospechar que su hija tenía problemas luego que comenzó la escuela. Siempre había sido un poco lenta para aprender y responder, y tardó mucho en hablar, pero esto no les preocupó hasta que empezó a llegar molesta de la escuela. Los demás niños la llamaban "idiota". Cuando se les preguntó, los maestros dijeron que no prestaba atención a la clase. Luego de investigar un poco más a fondo, descubrieron que su audición era muy reducida. Tan pronto como le instalaron un aparato auditivo, la niña mejoró notablemente y, lejos de ser "idiota" demostró ser extremadamente inteligente y diligente.

Salli-Marie sufría repetidos dolores de cabeza cuando su carga de lectura aumentó en el curso escolar. Un examen de la vista reveló que había sido corta de vista (miope) casi toda su vida y nadie se había dado cuenta. Cuando se le preguntó, ella dijo que siempre había visto todo borroso y nunca se le ocurrió que las cosas fueran diferentes. Sus estudios se facilitaron mucho después de que le pusieron lentes y le fue mejor en la escuela.

Felicidad

Los sentimientos y las actitudes se encuentran estrechamente relacionados con nuestra interpretación de las cosas. Pronto nos damos cuenta de que "no podemos hacer felices a nuestros hijos", pero ellos tienen el control de esto; sin embargo, podemos hacer muchas cosas que sabemos que pueden ayudarlos a sentirse felices, confiables y capaces de manejar lo que encuentren en la vida.

Tal vez no es de extrañar que nuestras actitudes, sentimientos y actos paternos sean los que más contribuyen. La razón es que los niños absorben tanto lo que hacemos con ellos como la manera en que lo hacemos, y luego hacen consigo mismos exactamente lo que nosotros hicimos, en especial aquellas cosas que repetimos. Por ejemplo, si les hemos demostrado nuestro amor, sabrán amarse a sí mismos, pero si los hemos regañado, entonces se van a regañar solos, y si los hemos ignorado, se van a ignorar a sí mismos.

Además de absorber nuestros actos, aprenden de nuestra enseñanza directa; parte de nuestro trabajo es enseñarles el conocimiento práctico que nosotros adquirimos con el tiempo. Éstos son algunos ejemplos:

Amarlos con total aceptación de quienes son ellos como personas a partir del momento en que fueron concebidos: abrazarlos y acariciarlos, sonreírles y reír con ellos, decirles con frecuencia que los amamos y disfrutar de la persona que son ellos.

Establecer los estándares que deben esforzarse en adquirir y ayudarlos a lograrlo hasta que lo hagan de manera rutinaria. Entre los ejemplos se incluyen los buenos modales, el interesarse en los demás, hacer bien su trabajo o labores, decir la verdad y "escucharme cuando te hablo".

Marcar límites para que sepan lo que es aceptable y lo que puede causarles problemas tanto dentro como fuera de casa. Algunos ejemplos son la violencia, como golpear, patear o morder; mentir y robar; no cumplir las promesas y decir malas palabras.

Ayudarles a relacionarse con los demás: cómo unirse a un "grupo de chicos" en la escuela, mantenerse firme cuando los demás no están de acuerdo o controlar sus propios actos cuando estén causando problemas.

Enseñarles a resolver solos sus problemas guiándoles por las formas que pueden funcionarles para que lo hagan solos. Ayudarles a saber qué hacer cuando tienen sentimientos intensos respecto a algo (vea el capítulo 9, "Castigo"); mostrarles como perseverar cuando quieren darse por vencidos; explicarles cómo pueden hablar con aquellos con los que tienen problemas y como probar cosas nuevas cuando los primeros esfuerzos no funcionan.

Enseñarles a concentrar su atención en lo que quieren en lugar de gastar energía en lo que no quieren. La felicidad y las cosas que queremos en la vida vienen de aquello en lo que nos enfocamos, y podemos enseñar a nuestros hijos esta "gran idea" desde una temprana edad.

Todas estas áreas se abordan más a fondo en *Easy Parenting* (Finch, Sydney, 2001) y *ParentCraft* (Finch, Sydney, 1999).

Realización

Como padres, queremos que nuestros hijos estén satisfechos con su vida, lo cual generalmente viene de tres cosas: aprender a valorarse como personas dignas y valiosas, desarrollar un sentido de conexión con sus propósitos y destinos internos y saber expresar esos propósitos directamente en su vida diaria.

Podemos ayudar en este asunto desde el principio. Podemos mostrar nuestro interés en lo que a ellos les parece valioso, observando lo que ellos entienden en lo que están haciendo y cuáles son sus razones para hacerlo y respetar el significado que le dan a las cosas. Hacemos esto con los dados o cubos cuando son bebés, y vamos avanzando con sus opiniones acerca de los amigos y las tareas de la escuela en la infancia, y luego, en la adolescencia, nos extendemos a las charlas complejas acerca del sentido de la vida, nuestros orígenes y hacia dónde vamos cuando dejamos esta vida.

Mostrar un respeto real por ellos es muy importante. Los niños se sienten afirmados con nuestra valorización de ellos y con nuestros actos en edades tempranas, lo cual contribuye a tener la puerta abierta al desarrollo espiritual, más profundo, posteriormente. Observe ese cambio de énfasis a medida que los hijos crecen.

- *"¿Por qué pusiste el dado encima de ese?", preguntamos con curiosidad.*
  "Porque quise", contesta sonriendo nuestro bebé de 18 meses.
  "Oh, ya ***veo****", decimos como si respondiéramos a una revelación profunda. Con ello reforzamos la importancia de las razones del bebé.*
- *"Oye, donde pusiste la imagen a mitad de tu escrito, ¿por qué la pusiste ahí?", preguntamos.*

"Creo que se ve mejor ahí", contesta nuestro pequeño de ocho años. "Probé ponerla en otros lugares".
"Pero, ¿ya pensaste en el efecto que tiene en la persona que lo lee?"
"Me cuesta trabajo encontrarle sentido a las palabras que hay debajo de ella porque la imagen tiene que ver con algo que está en la página siguiente", sugerimos con respeto.
"No pensé en eso", dice el niño y se queda callado un momento. "De todos modos la voy a dejar ahí. Me gusta más así", decide finalmente el niño.
"Bueno, es tu proyecto y tu decisión, y me gusta que pienses por ti mismo", concluimos.

- *"Papá/mamá, hay mucho sufrimiento en el mundo", asegura nuestro molesto hijo adolescente. "No está bien que algunas personas tengan mucho para vivir y otras tengan muy poco".*
  "Sí, también a nosotros nos molesta eso. ¿Qué es lo que te disgusta a ti?", preguntamos.
  "Bueno, pues me gustaría ver que todos son felices y viven bien. Cuando veo el sufrimiento ajeno, me da coraje. He estado pensando que quiero hacer algo para corregirlo, porque me parece que está mal".
  "¿Qué has pensado hacer?", le preguntamos, evitando el impulso de decir todo lo que hemos aprendido con el tiempo.
  "Quiero que mi trabajo haga del mundo un mejor lugar para vivir, y también he pensado en donar parte del dinero que gano en el trabajo de medio tiempo para sostener a uno de esos niños que anuncian en la TV, ¿qué te parece?"
  "Básicamente, creo que tú debes decir lo que es mejor para ti. De ti depende. Pero yo he pensado mucho en este asunto a lo largo de los años y mis ideas tal vez puedan darte algunas ideas. ¿Quieres que sigamos hablando de esto?"

Por lo general, la charla se extiende.

Compartir nuestras propias preguntas y respuestas es una parte muy importante de esto. Cuando nuestros hijos son jóvenes, tal vez no sepan apreciar los profundos significados que nosotros sabemos subyacen a estas discusiones, sin embargo, si les enseñamos a pensar por sí mismos de manera creativa y a llevar sus ideas fuera de sus inquietudes inmediatas y hacia otras formas de pensar, rinde buenos frutos. Por lo general conduce a una apreciación de las dimensiones espirituales de sí mismos y de los sucesos de la vida, a medida que maduran.

Prepárelos para vivir en el mundo

Casi todos los animales y aves enseñan a sus hijos a enfrentar el mundo, es una labor muy importante, y los padres humanos tienen la misma obligación. A partir del momento en que nuestros hijos no saben nada del mundo tenemos 21 años para prepararlos para la vida que les espera al llegar a la edad adulta.

Hay que señalar que los hijos aprenden mejor cuando lo hacen directamente de nosotros, pues los padres les enseñamos cientos de cosas a lo largo del día... cada uno de nuestros actos es una lección para ellos y, cuando hayan crecido, habrán aprendido millones de cosas de nosotros:

- a guardar los juguetes en el juguetero o el baúl después de haberlos usado
- usar los cubiertos y a beber de un vaso o una taza
- hablar, leer y escribir
- ir al baño y vestirse
- saber la hora y lo importante que es
- llevarse bien con los demás
- lo que es importante y no lo es en la vida
- a cocinar, limpiar y lavar la ropa

- algunas formas de ganar dinero, ahorrar, hacer presupuesto y gastar el dinero

Esta lista puede ser muy larga.

Nuestro objetivo con los hijos es prepararlos mientras están en casa a vivir la vida con alguna facilidad una vez que dejen el hogar. Por lo general ellos se van de casa después de los 20 años de edad, siempre y cuando todo esté bien. Una vez que lo hacen, queremos que sepan enfrentar solos la vida y que puedan manejar sus exigencias diarias. Que no dependan de que los demás les hagan las cosas.

Perseverar todo lo que sea necesario

Estar involucrados con nuestros hijos a lo largo de su infancia es fundamental. Los padres y los hijos están genéticamente predispuestos a vivir juntos hasta que los pequeños hayan crecido. La concepción pone en movimiento estos programas genéticos, los cuales crean imperativos en todos los participantes: la mamá, el papá y el bebé.

Si surge alguna interrupción importante en estos programas para alguno de nosotros se genera una angustia que casi siempre provoca heridas profundas. La ausencia significativa de cualquiera de los padres biológicos por lo general genera una intensa mezcla de incertidumbre, rechazo, inestabilidad, desapego o cosas peores. Estas respuestas pueden llegar a los mismos cimientos de la personalidad de los hijos, cuando la pérdida es muy profunda. En nuestra experiencia esto es muy cierto a pesar de lo buenos que sean los padres o tutores sustitutos. Los niños requieren una confirmación fundamental que sólo existe cuando se crían con su padre y madre biológicos.

La pérdida profunda sufrida por muchos niños adoptados de bebés, los efectos en el joven de la muerte de uno o ambos padres y el dolor intenso que sienten los dos padres cuando muere un hijo, todo habla de nuestro mutuo compromiso biológico y emocional.

Nuestra labor como padres es estar a disposición de los hijos todo lo que podamos; estamos programados para ello hasta el final. Los hijos de padres que han recibido un apoyo constante, por lo general son mejores adultos que los niños que no. Por supuesto, algunas cosas nos alejan de vez en cuando, como la llegada de otros hijos, los compromisos de trabajo y la enfermedad.

Consumación

Cuando nuestros hijos tienen más de 20 años de edad, comienzan a darse cuenta del valor de nuestros esfuerzos y vuelven y dicen, "Gracias mamá/papá".

Los vínculos genéticos son especiales

Nuestros vínculos genéticos parecen enlazarnos de maneras muy especiales que tienen importantes implicaciones en la crianza de nuestros hijos.

- Seguimos unidos e interactuamos toda la vida, aun cuando no estemos juntos físicamente.
- Los padres biológicos tienen un efecto primario que no puede provocar nadie más.
- Cada padre biológico hace una contribución única a cada uno de sus hijos que su co-padre no puede hacer.
- Otras personas también pueden hacer un buen trabajo, incluso un estupendo trabajo, pero no pueden sustituir por completo a los padres biológicos.

Los padres no-biológicos

Lógicamente, nuestro énfasis en la importancia fundamental de los lazos genéticos entre los padres biológicos y sus hijos genera importantes preguntas. ¿Qué hay del efecto que tiene la separación, el divorcio y tener padres solteros u homosexuales? ¿Qué hay de las guarderías o los centros de cuidados familiares e infantiles? ¿Qué pasa con los internados? ¿Y los padres adoptivos y los padrastros?

Millones de padres no biológicos (padrastros y adoptivos, o parientes cercanos) saben criar a los hijos. Los hemos observado varios años y podemos decir que es edificante su compromiso de amar, involucrarse, conectarse, cuidar y disfrutar a los hijos que tienen a su cargo. Aplaudimos los esfuerzos de estos maravillosos hombres y mujeres.

Sabemos, por experiencia directa, todo lo que hay involucrado en esto, y los hijos a su cuidado son seres muy afortunados por tenerlos. Estas personas son, de acuerdo con lo que sabemos, más perceptivas de los niños a su cargo que sus propios padres biológicos, y el punto sigue siendo el mismo, no pueden hacer lo imposible.

Los padres no biológicos no pueden dar lo que sólo pueden los biológicos. Entender y aceptar esto ha sido un alivio para muchas personas, tanto padres como hijos, y ha ayudado a explicar por qué muchos padres e hijos que comparten un vínculo no biológico, por lo general experimentan la enorme belleza de los lazos amorosos entre ellos ***al mismo tiempo que*** una cualidad de separación, desapego, distancia o falta de unión. Estas experiencias son naturales a esta clase de relaciones, no un signo de problemas o de falta de amor o compromiso de alguno de los involucrados. Son parte de la realidad que enfrentan.

La pérdida de los padres

Como las circunstancias familiares cambian, muchas personas tienen que hacer planes para sus hijos los alejen de ellos. ¿Qué podemos hacer para asegurarnos de que su necesidad de sus padres biológicos sea cubierta lo más posible en los planes que hacemos? Cualesquiera que sean sus arreglos de vida en este momento o en el futuro, le sugerimos que haga todo lo que esté de su parte para permitir a sus hijos pasar el mayor tiempo posible con sus dos padres biológicos. Nosotros basamos esta sugerencia en los 30 años que hemos dedicado a ayudar a las personas a lidiar con los efectos de la privación y el trauma, prematuros o tardíos.

Nos hemos dado cuenta de que este asunto es muy debatido en este momento, y hay muchas cosas importantes que se deben considerar. Como parte de nuestra contribución a ese debate, recomendamos lo siguiente:

- Si se separan o divorcian, lo mejor es tener una custodia compartida y que los hijos puedan estar con ambos de la mejor manera posible. De igual forma, el futuro equilibrio y bienestar, junto con su capacidad para sostener su propia paternidad futura se beneficiarán notablemente del hecho de que ustedes desarrollen una buena relación mutua.
- Si es padrastro o padre adoptivo, anime a los hijos que tiene a su cargo a tener contacto con sus padres biológicos. Esto puede hacerse de acuerdo con cada situación, por supuesto. Hay veces en que las cuestiones relacionadas con la seguridad y la salud limitan esta posibilidad.
- Si se trata de padres solteros u homosexuales, hagan todo lo que puedan hacer para garantizar que sus hijos tengan contacto con sus padres biológicos.
- Las guarderías y los internados, cada uno a su manera, privan a los hijos de la presencia de sus padres y de lo que pueden obtener a través del contacto directo con ellos. Nuestra recomendación es que, en la medida de lo posible, no se recurra a estas instituciones a menos que se trate de unas cuantas horas y de manera ocasional. Los internados tienen este efecto de privación en los hijos aun cuando la primera vez que se usen sea a partir de la adolescencia.

- Cuando se necesite que alguien más cuide a los hijos, por lo general los miembros familiares con buena disposición son preferibles a otro tipo de personas, porque existe un vínculo genético de todos modos. Creemos que los servicios de guardería son la siguiente opción después de esto.
- Si su familia está intacta y su trabajo le aleja de casa periodos largos, haga todo lo que esté de su parte por cambiar esto. Sus hijos le necesitan en casa y a su alcance, no en la oficina, el auto u ocupado trabajando mucho tiempo en el hogar.

Equilibrio de los principios y la realidad diaria

Los principios son importantes, pero la realidad práctica también necesita dictar mucho de lo que hacemos a veces.

Sin importar las preferencias, una madre o un padre que no está al alcance de sus hijos (por decisión o lo que sea) es simplemente eso, inaccesible. Los padres que deben trabajar los dos para cubrir las necesidades de su familia, tienen que hacerlo. Los que no pueden sostener a su familia sin hacer uso de cuidados por parte de otras personas, hacen bien en recurrir a ello.

Es necesario que aceptemos estas realidades y hagamos lo mejor que podamos con ellas. Estar conscientes de la importancia del contacto continuo y constante con los padres biológicos puede llevarnos a hacer planes diferentes con nuestros hijos de lo que hubiéramos hecho de otra forma.

Cuidarnos a nosotros mismos

Los padres debemos cuidarnos si queremos hacer un buen trabajo. La vida que vivimos es preciosa y también debemos alimentarla. Debemos comer bien, hacer ejercicio, descansar, tener diversos estímulos y, en general, mantenernos en buena forma. No hacer esto significa que no sólo no podremos cumplir con nuestras obligaciones paternas bien, sino que tampoco podremos disfrutar de la vida, tanto dentro como fuera de la familia. La salud es básica para esto, y lo que esto significa en términos específicos dependerá de nuestra situación y estado de salud en particular. Sean como sean, siempre es importante cuidar de nosotros mismos como lo hacemos de nuestros hijos. Así que, atiéndase.

Hágase cargo de su familia

Dos historias ilustran lo importante que es para nosotros estar a cargo en casa.

> *Claire, la mayor de seis hijos, tenía cinco años de edad cuando decidió que su trabajo era cuidar a su familia. Ya había estado haciendo gran parte de la preparación de alimentos y de cuidar a sus hermanos menores; se sentía mayor que sus padres, quienes al parecer no hacían bien muchas cosas. Frecuentemente se endeudaban tanto, que a menudo eran objeto de demandas legales, y se esperaba que ella debiera enfrentar a los acreedores, sin mencionar que era la confidente de su madre sobre los problemas que sus padres tenían. El resultado de todo esto ella no podía dormir, preocupada por todos. Pensó en usar su propio dinero para ayudar, en conseguir un empleo y en cómo cuidaría a sus hermanos si algo le pasaba a sus padres. Era mucho que esperar de una niña pequeña. Incluso ya a los 50 años, Claire se seguía preocupando por sus padres y hermanos.*
>
> *Había una casa muy cara en el mercado. Los tiempos eran malos porque una caída en el precio de las propiedades significaba que la familia no tenía posibilidades de recibir lo que habían pagado por su casa*

hacía varios años, cuando los bienes raíces estaban en auge.

Llegó una oferta generosa y los padres querían tomarla, aunque la rechazaron "porque los hijos no nos van a dejar venderla". Esos hijos tenían 12 y 15 años de edad. Cuando nos contaron esta historia, nos sorprendió que le dieran tanto valor a las opiniones de los hijos, sin importar sus razones. El padre era gerente de una gran cadena de tiendas de alimentos y estaba acostumbrado a tomar decisiones financieras racionales. El mercado siguió cayendo como se predijo y, cuando finalmente vendieron, fue por varios cientos de dólares menos que la oferta original. Los padres no fueron muy inteligentes al dar a sus hijos tanto poder en una decisión de adultos. Es evidente que los hijos no entendían tanto como creían entender.

Casi todas las personas conocen familias que no son bien manejadas. O nadie está a cargo o quien lo está no lo está haciendo lo suficientemente bien. Por lo general, las personas viven de crisis en crisis, se olvidan de necesidades como el alimento y la ropa, los hijos enloquecen o manipulan a los adultos a su favor, y ocurren dificultades predecibles sin que se tomen acciones preventivas.

Las familias bien llevadas son fáciles de reconocer.

- Uno o los dos padres están a cargo y lo hacen bien.
- El dinero y demás recursos se usan bien.
- Los padres hacen participar a los hijos en las pláticas al mismo tiempo que son ellos los que planifican y toman las decisiones finales.
- Por lo general los hijos se ven seguros y saben dónde se encuentran.
- Los hijos juegan un papel importante en cuidarse sc - los y la casa.

- A todos les gusta pasar tiempo juntos (¡la mayor parte del tiempo!).
- Una sensación de propósito y dirección por lo general es obvia en la familia.
- Ésta funciona bien como unidad y es capaz de aprovechar mejor las cosas en una crisis.

Las principales áreas de control

Asuntos financieros: presupuesto, ahorros, pagar cuentas.

Tareas diarias: hacer las camas, limpiar, cocinar, lavar, habitaciones ordenadas y cuidado del jardín.

Administración general: declaraciones de impuestos correctas, solicitudes para inscripción de escuelas, reparaciones de instalaciones necesarias hechas, aparatos reparados.

Equilibrio familiar: el tiempo es bien compartido, la diversión y el trabajo están equilibrados, hijos y padres comparten las recompensas de la vida familiar.

Frases útiles...

Lidiar con el jefe

Su hijo de escuela primaria regresa de la escuela y dice, "Tú no puedes decirme qué hacer, **Yo soy** mi propio jefe".

Nuestra respuesta puede ser, **"Sí, eso es cierto. Tú eres tu propio jefe y yo soy el jefe tuyo siendo tu propio jefe hasta que tengas el conocimiento suficiente para hacerte cargo de ti totalmente. Así que ahora, haz lo que te digo".**

Cómo escapar de la trampa, "Pero ya lo hice..."

Se encuentra usted con algo que no se hizo o se hizo mal y su hijo o hija le dice, "Pero ya lo hice así y así", o "Pero hice todo lo que tenía que hacer la semana pasada".

Respondemos, **"Eso fue entonces, ahora es ahora"**, y agregamos, **"Debes hacer las mismas tareas cada semana".**

2

Cómo ser un buen padre

Muchas cosas tienen que ver con ser un buen padre. En este capítulo hablamos de siete ingredientes importantes: usted no es perfecto; cada hijo es único; tenga tiempo para sus hijos; prográmelos; preste atención a todo lo que están expuestos; confíe en sus instintos; y no deje de aprender.

Usted no es perfecto

Parte de ser un buen padre es entender que nadie es perfecto. Muchos padres se preocupan mucho y se esfuerzan tanto que les inquieta no estar haciendo lo correcto, por lo que se culpan si las cosas no salen bien. Aceptar nuestras limitaciones ayuda. He aquí algunas verdades muy simples:

- No podemos anticipar todo, ni debemos.
- Los niños normales tienen problemas como pescar resfriados, cortarse y lesionarse, fracturarse algún miembro, tener altercados en la escuela, equivocarse y tener conflictos con los maestros. No podemos protegerlos de estos sucesos.
- Vamos a hacer cosas que molesten a nuestros hijos a veces, en ocasiones por accidente, otras deliberadamente. La vida tiene que ver con lo que es bello y fácil, *y* con las molestias y la incomodidad.
- Los hijos pueden tener problemas que no veamos, pero después del evento podemos ver las señales que nos estuvieron enviando. Hacer lo mejor que posamos es todo lo que podemos esperar de nosotros mismos.
- Es muy posible que nos sintamos disgustados, cansados, enojados, atemorizados, alterados, irritados y muchas cosas más. Somos seres humanos normales, y estas reacciones lo demuestran.
- A veces descubrimos más tarde que le hemos causado serios problemas a nuestros hijos sin darnos cuenta que lo estábamos haciendo en ese momento. Mientras nos arrepentimos por esto, la culpa no es buena consejera, no podemos esperar hacer algo que no sabemos.

Así que, tranquilo, haga lo mejor que pueda y si se queda corto en el manejo de las cosas, entonces aprenda a hacer lo que se tiene que hacer y hágalo, o busque a otra persona que le pueda ayudar.

> Los buenos padres encuentran la forma de cubrir las necesidades de sus hijos y dar forma a lo que hacen. La mala conducta por lo general nos habla de un chico normal, no lo convierte a usted, automáticamente, en un mal padre.

Cada hijo es único

Este libro tiene que ver, principalmente, con la crianza de los hijos. Abarcamos temas como lo que los padres deben hacer, nuestros sentimientos y metas, cómo manejar los retos que nos presentan nuestros hijos y los resultados que esperamos obtener. A veces puede parecer "muy pesado" que sólo hablemos de temas y respuestas de padres, sin embargo, el equilibrio que logremos entre nuestras necesidades y percepciones y las de nuestros hijos es muy importante. Es necesario conocer bien a los hijos, y debemos saber qué está pasando desde el punto de vista de ellos. Esto es de vital importancia en todo lo que hacemos, fundamental en nuestro éxito como padres.

> Nuestro éxito como padres depende de que respondamos a y nos conectemos con lo que realmente está sucediendo con nuestros hijos.

Si usted tiene más de un hijo, ya sabe que cada uno es único. Una de las maravillas del mundo es la manera como cada hijo es totalmente diferente al otro.

- "El primero siempre estaba contento y de buen humor. El segundo se enojaba hasta porque volaba la mosca".

- "Desde el vientre ya era inquieto... y nunca ha parado, y tuve un sentimiento muy particular con el tercero, supe que nos íbamos a llevar muy bien, y así es".
- "Algo andaba mal con mi hija desde el momento en que llegó. Era diferente de alguna forma y nunca ha sido fácil con ella".

Los buenos padres lidian con esta singularidad de sus hijos de dos formas; primero, damos forma a lo que hacemos para que encaje con los hijos que tenemos.

> *Una madre muy frustrada se acercó a nosotros, y dijo, "Me gustaría que José fuera como Carmen, ella es buena. Siempre hace lo que le dicen. A él le digo, "Deberías ser como tu hermana, pero no es así, eres muy travieso". Nosotros le preguntamos cómo era José y a ella le parecía que estaba enojado todo el tiempo. Era inquieto y en todo estaba, y parecía que tenía que andar detrás de él todo el día.*
>
> *Le dijimos que tratara de ver a sus hijos como diferentes entre sí, como únicos y que no los comparara. Ella empezó a entender que los trataba como si ambos fueran Carmen. Ésta era la Carmen buena y José era la Carmen mala. Con un poco de ayuda, ella fue capaz de ver toda clase de cosas que eran únicas de José, muchas de las cuales le gustaban. A partir de ahí, después nos dijo, "Tengo dos hijos y no uno. Todo lo que tenía que hacer era lidiar con ellos en forma diferente, en vez de actuar como si fueran iguales y enojarme cada vez que José demostraba que no era así".*

También ayudamos a nuestros hijos a conectarse con lo que es único en ellos y a expresarlo en su vida. Cada uno tiene sus propios intereses, talentos, habilidades y desagrados. Un niño que se interesa en la danza, puede no importarle el futbol; otro que se siente atraído por la ciencia y los números puede no interesarle la historia o la religión; y otro que gusta de cocinar quizás no le importe dibujar o pintar. Hacen algunas cosas con mucha facilidad y otras les cuestan mucho trabajo. Todo esto es normal.

Los niños necesitan nuestro apoyo para ser creativos y en lo que les resulta natural. Por lo general no lo hacen muy bien cuando bloqueamos o desalentamos sus intereses o talentos.

Renata dibujaba y pintaba a la menor oportunidad, y lo hacía durante varias horas. Sus padres eran consejeros y durante la mayor parte de su adolescencia ella habló de trabajar en una guardería. Un año antes de terminar la escuela, su padre le señaló el entusiasmo que mostraba ella cada vez que hablaba de arte y lo obediente que era cuando se trataba del cuidado de niños. Él se preguntaba si no se sentiría más feliz usando su arte en su futuro trabajo. Ella investigó, olvidó lo de la guardería y de ahí en adelante alegremente se dirigió en pos de su natural creatividad artística.

Mark provenía de una familia grande. A cada uno de los hijos le tocaba un área especial "asignada" por sus padres. La de Mark era la ciencia. A lo largo de su infancia, sus padres le impidieron seguir su interés en los idiomas y la historia. Durante muchos años él intentó, sin éxito, disfrutar su trabajo como físico investigador. Al llegar a los 40 años de edad. Por fin renunció, volvió a la universidad y se graduó como maestro de idiomas e historia. Por primera vez en su vida se sintió feliz con su trabajo.

La familia de Angela había estado "llena de médicos" por varias generaciones. Desde muy temprana edad se esperó que ella siguiera el patrón familiar, y ella cumplió, pero en secreto ansiaba tener la oportunidad de ser actriz. Incluso a una edad mayor, seguía lamentando no haber seguido su gusto.

Mientras pensamos en lo que queremos para nuestros hijos, podemos valorar y apreciar su singularidad. Con tantas oportunidades ahora a nuestro alcance, es más una cuestión de ingenio que de oportunidad para ellos encontrar algo que les sea apropiado y vaya con ellos.

Los niños normales dan guerra

Los niños normales pasan por muchos cambios conforme aprenden a manejar la vida, y con frecuencia se comportan de formas que requieren corrección. En realidad, esto es algo creativo porque, al presentarnos problemas, sabemos lo que debemos enseñarles; por ejemplo, pueden actuar de manera provocadora, inaceptable, destructiva o hasta fuera de la ley, y pueden hacerlo durante meses o años.

Todo esto es normal. Algunas personas piensan que esta clase de conducta demuestra que los padres no están actuando bien; sin embargo, por lo general muestra que los padres están haciendo un trabajo excepcionalmente bueno.

- Una mamá que maneja con firmeza los berrinches de su infante en el supermercado, por lo general provoca sonrisas de apoyo y aprobación, no miradas censuradoras.
- Los padres que establecen las consecuencias de una mala conducta están haciendo bien su trabajo, no abusando del niño.

Deje tiempo para sus hijos

La paternidad requiere tiempo. Los buenos padres buscan contar con el tiempo necesario, y exhortamos a todos a hacerlo siempre que puedan. Vale la pena. Dese tiempo para:

- Tranquilice a sus hijos cuando tengan problemas;
- Anímelos cuando se sientan inseguros;
- Bromee con ellos cuando estén serios, o sólo por divertirse;
- Celebre cuando tengan éxito en algo;
- Impúlselos cuando quieran darse por vencidos;
- Obsérvelos desde lejos cuando estén tratando de resolver o manejar algo.

Pueden crecer seres humanos maravillosos y capaces en el suelo fértil de nuestra atención amorosa y dedicada; ésa es nuestra recompensa de tantos años de esfuerzo. Aun cuando parezca una larga espera a veces, nuestra realización como padres queda fabulosamente terminada cuando podemos ver a nuestros hijos adultos con gozoso orgullo.

El viaje de 21 años

La infancia dura un promedio de 21 años. Ni nosotros ni ellos tenemos opción en esto, y muchos padres "aman cada momento de ella". La creatividad de ayudar a formar seres humanos —y el mundo del futuro a través de ellos—, es grandiosa. El tiempo con ellos pasa muy rápido.

A otros no les gusta mucho, pueden quedar más atrapados en sus exigencias y el precio por pagar. Saber que toma unos 21 años puede ayudar con esto, pues nos permite saber qué esperar y aceptar. Nuestros hijos están con nosotros a través de nuestros actos, y culparlos no hará que el tiempo pase más aprisa. De igual forma, pararse en un árbol y esperar que crezcan más rápido de lo debido, sólo provoca que nuestra impaciencia aumente. Dar a nuestros hijos lo que necesitan para que crezcan pronto, fácil y bien parece ser la mejor táctica.

Tiempo real y de calidad

Dado que el éxito como padres requiere que dediquemos tiempo, no vemos otra solución. Sin embargo, hay quienes sugieren que el tiempo real no es tan importante como el tiempo de calidad, y muchos padres se organizan alrededor de esta diferencia, en particular los que son separados o divorciados y aquellos que trabajan muchas horas. "Aun cuando no pasamos mucho tiempo con nuestros hijos", dicen, "lo que hacemos es que el tiempo que estamos con ellos cuente realmente. Tenemos tiempo de calidad". Y ciertamente hacer que nuestro tiempo con los hijos sea lo mejor posible es útil. Pero nuestros hijos necesitan más que breves estallidos de tiempo especial, también necesitan tener tiempo para jugar y estar con nosotros nada más.

Gran parte del aprendizaje requiere años de participación continua de los padres y, cuando éstos no están para hacerlo, dicho aprendizaje no se da. Es necesario decir que ninguna otra persona puede sustituir a una madre o un padre; por ejemplo, tienen que pasar muchos años para que una hija aprenda a ser mujer de su madre y su padre, y lo mismo sucede para que el hijo aprenda a ser hombre de su padre y su madre: muchos años de exposición constante. Piense también en el aprendizaje especial que se relaciona con el cuidado paterno y la persistencia que transmitimos a través de estar presentes día tras día. Ambos padres deben involucrarse lo más posible: despertar a los hijos y prepararlos en la mañana, llevarlos de compras o a visitar amigos, ayudarles con la tarea y muchas cosas más.

El tiempo pasado "juntos", sea amoroso o no, feliz o frustrante, también les enseña a vivir día tras con los demás.

Los adultos que parecen hacer lo mejor que pueden, por lo general tuvieron padres que encontraron tiempo para amarlos, guiarlos y apoyarlos día tras día a lo largo de su infancia. El tiempo real es más importante que el tiempo de calidad, aun cuando la calidad del tiempo real no sea la ideal.

También permite que aprendan que en la vida existen momentos de estrés y dificultades. La gente no siempre se encuentra en su mejor momento, y no todo contacto tiene que ver con estímulo y esfuerzos especiales. La vida puede ser mundana.

El reto para muchos padres en la actualidad es: ¿cómo podemos hacerlo? Será mucho más fácil para algunos padres que para otros, desde luego; piense en las parejas separadas o divorciadas, por ejemplo. Lo que nosotros sugerimos es que se hagan arreglos, en la medida de lo posible, para que los dos tengan una participación diaria, continua con sus hijos. Cualquier desafío que esto pueda crear vale la pena por el bien de los hijos.

He aquí algunas ideas: las llamadas telefónicas son estupendas para algunos hijos, y no tanto para otros. Visítelos y diga, "Vine a verte un momento", y deje que sea un buen rato. Acérquese para decir "Buenas noches", aun cuando sus hijos ya estén dormidos, vale la pena. Esto hacemos cuando vivimos con ellos, y nos podemos organizar para hacerlo cuando no. Turnarse ciertas noches para asumir la responsabilidad de estar con ellos puede servir. Vivir lo más cerca posible, físicamente hablando, también facilita las cosas, desde luego. Vivir a la vuelta de la esquina es mucho mejor que vivir lejos. Cuando sean lo suficientemente mayores, los hijos pueden ir de casa de un papá a la del otro con más facilidad. Piense en las horas en auto que se pueden ahorrar.

La paternidad toma años

Sólo los resultados de largo plazo de nuestros esfuerzos demuestran lo bien que hicimos las cosas. Al final, vemos a los adultos en que se han convertido. Mientras que, en el corto plazo —en un periodo de semanas o meses—lo que hacen y no hacen, lo felices o infelices que son, y lo bien o no que aprenden, no son buenas guías por sí mismas.

Programe a sus hijos

Una de las labores principales de los hijos es programarlos, todo lo que hacemos es eso precisamente. He aquí algunos indicadores sobre cómo hacerlo deliberadamente y bien.

Sea el ejemplo de lo que quiere

La forma más poderosa de programas a su pequeño es dar un buen ejemplo. "Haga lo que dice" y "predique con el ejemplo". Viva de la manera que quiere que ellos vivan. Nuestros hijos nos "absorben por completo", así que nos volvemos parte de su personalidad de todos modos. Entonces, como padres inteligentes que somos, debemos asegurarnos de actuar de maneras que queremos que ellos adopten.

Cuando tenemos que decidir específicamente cómo actuar, un enfoque muy sencillo funciona bien.

1. Averiguamos lo que les pasa.
2. Decidimos o resolvemos cómo deben manejarse ellos en su interior.
3. Luego hacemos las mismas cosas con ellos por fuera mientras ellos lo necesiten hacer por dentro.

Ellos tomarán esto de nosotros y luego podrán hacerlo solos.

- Si un niño está molesto y creemos que debe aprender a hablar de lo que le pasa, entonces que nosotros hablemos con él es lo que hay que hacer. Gritarles hará que ellos aprendan a gritarse por dentro.
- Con un hijo que tiene que persistir "llueva, truene o relampaguee" con sus tareas diarias, nosotros debemos persistir recordándole, estimulándolo y prestándole atención hasta que lo haga solo. Si lo olvidamos, no le prestamos atención, no lo molestamos y se lo dejamos a otra persona, él aprende también a olvidarlo, no prestar atención, no molestarse o dejárselo a otra persona.

Incluso la falta de actividad queda registrada. Hacer nada es un acto y queda grabado en nuestros hijos tanto como las cosas que hacemos. No responder cuando la gente provoca, cuando alguien está molesto o cuando tenemos cosas que hacer, son ejemplos de esto. Si hacer nada ayuda a atender lo que está sucediendo, entonces es útil, pero, si se requiere acción, el no hacer nada levantará cimientos inútiles.

Compromiso con el cambio específico

Casi todos los padres conocen la escena en la que dan muchas instrucciones, sugieren, exigen, motivan o enseñan mientras sus hijos escuchan atentos o con sorpresa en los ojos. Poco cambio puede obtenerse de esta clase de intercambio; si quiere lograr un cambio sostenido, necesitamos que decidan asumir el control de nuestros propios actos.

La idea es hacerlos que ***se comprometan a*** hacer lo que les estamos diciendo que hagan, y todo lo que se necesita es una pregunta nuestra antes de terminar la discusión. Podemos preguntar, "¿Qué vas a hacer de ahora en adelante?" Debemos obtener una respuesta definitiva que incluya ***lo que van a hacer***. De igual forma, casi siempre es útil hacer que se comprometan con ***lo que no van a hacer*** a partir de ese momento.

Sus respuestas tienen que ser algo como, "Voy a hacer esto a partir de hoy".

- "Voy a pedir el juguete, no lo voy a arrebatar".
- "Voy a apagar la tele cuando me digas, no voy a seguir viéndola".

O, "Cuando pase esto y esto voy a hacer esto otro"

- "Cuando Cathy me grite, voy a hablar con ella, no le voy a pegar".
- "Cuando no me des lo que quiero, te voy a preguntar '¿por qué?', no me voy a ir corriendo a mi cuarto".
- "Voy a venir a pedir tu ayuda si no me escucha. No voy a tomar lo que quiero".

O, "Cuando pienso (siento, hago, quiero, espero, necesito) X, hare y de ahora en adelante".

- "Aunque quiera estar más tiempo afuera, voy a llegar a casa cuando diga que voy a llegar".
- "Voy a lavar el coche y entiendo que esto es parte de lo que tengo que hacer si quiero usarlo. Si no lo lavo, no me lo prestas".

Ponerlo en palabras por ellos puede ser una trampa; por ejemplo, "¿Vas a actuar cortésmente de ahora en adelante?", puede dar lugar a un "Sí", "Está bien" o "De acuerdo", pero, ¿qué significa eso? "Sí, si tú dices", "Está bien, cuando me estés viendo" o "De acuerdo, mientras no dejes de molestar hasta que diga algo". Hacer que lo expresen en sus propias palabras puede desviarlos de todo esto.

Refuerce de manera selectiva lo que quiere

Alabe las cualidades y habilidades que usted quiere y desaliente aquellas que no; hágalo todos los días. Activamente vaya dando forma a la conducta, forma de pensar, sentimientos, expectativas o valores de sus hijos y, mientras lo hace, recuerde que todos tenemos cinco sentidos, así que proporcione información a través de todos ellos.

- "¡Bien hecho!" Haga contacto visual, sonría, dé una palmada o un abrazo, ofrezca algo dulce que comer y suene emocionado y complacido.
- "No hagas eso, no me gusta que lo hagas. Mejor esto y esto". Al decirlo, haga contacto visual, frunza las cejas, tome un brazo con firmeza y emita un tono de voz decidido.
- "Me alegra que te hayas detenido y decidido actuar de otra forma".
- "Has cambiado mucho, ¡bien por ti!"
- "Estás aprendiendo muy rápido, sigue así".

Descríbalos como quiere que sean

Las cosas que decimos y hacemos repetidas veces son muy poderosas. Repita algo lo suficiente y sus hijos comenzarán a vivir lo que les está repitiendo. Hacer lo mismo "de lejos" con los demás, también es muy poderoso.

Al niño:

- "Eres fabuloso".
- "Tienes una memoria fantástica".
- "Eres muy considerado (cariñoso, amoroso, expresivo, inteligente, alegre, etc.)."

A otra persona:

- "Por lo general John tiene buenos resultados en la escuela" (John escucha).
- "Lee es muy bueno con la gente" (A un amigo mientras Lee está jugando donde puede escuchar esto).
- "Verónica es muy perseverante" (A la maestra en frente de Verónica).

Describir las cualidades que no deseamos tiene el mismo poder, así que tenga cuidado con lo que le dice a ellos o a los demás. Transmítales la clase de mensajes sobre ellos mismos y sus capacidades que usted quiere que sean reales, y evita reforzar aquellas que no le parece que sean buenas para ellos. También vale la pena recordar que, si se siente tentado a decir, "Eres como el tío Fred", lo mejor es asegurarnos de que el tío Fred sea alguien a quien usted quiera que se parezca su hijo. Si no es así, entonces no lo diga.

El uso de apodos que afirman

Los apodos se pegan, y si se repiten lo suficiente tienen un efecto de programación muy poderoso, así que, procure ser selectivo con los nombres que dice a su hijo. Los niños se comportan literalmente de acuerdo con el significado de los nombres que les decimos, y esto es muy importante entenderlo.

Use nombres como "hermosa", "guapo", "campeón", "cariño", "preciosa", "lindos ojos", "estrella", "valiente", "joya", "tesoro", "princesa/príncipe", "amor" o "rey/reina", y evite éstos: "estúpido", "torpe", "malo", "tonto", "gordo", "flacucho", "bebé" o "burro". Ser cariñoso con nombres inútiles en realidad aumenta el problema. El afecto anima a los niños a comportarse, con más fuerza, de manera acorde con el nombre.

> Nuestros hijos se van cambiando poco a poco en lo que van experimentando, es decir, en lo que ven, escuchan, tocan, prueban o saborean y huelen.

Analice aquello a lo que están expuestos

Todas las experiencias dan forma a sus hijos, es decir, en la manera como piensan, sienten, actúan y se definen a sí mismos. Los buenos padres filtran lo que llega a sus hijos y la intención de hacer esto es usar nuestro entendimiento de la vida para ayudar a los hijos a desarrollarse y convertirse en adultos bien equilibrados. De igual forma, haremos nuestro mejor esfuerzo por garantizar que la vida interior de nuestros niños sea lo más pacífica, amorosa, tranquila, equilibrada intensa y afirmante que se pueda.

Los niños participan activamente en todo aquello que hay en su vida, no son observadores pasivos. Aprenden a través de la imitación representando, de manera interna, eso que están presenciando. La exposición repetida a algo, sea "la vida real" o fingido, da forma, de manera muy poderosa, a su personalidad. Piense en la violencia común que existe en muchos dibujos animados de la TV, también puede recordar la forma en que incluso los niños más pequeños representan o actúan las bromas violentas de las "Tortugas Ninja Mutantes", a tal grado que muchas escuelas han prohibido estos juegos.

Las historias de los libros, los héroes y los villanos de TV, los personajes de los dibujos animados y/o de las tiras cómicas, los cuentos de hadas y demás historias infantiles, o las "estrellas" y los "desertores" a los que con frecuencia hacemos referencia, pueden ser todos modelos a seguir para nuestros hijos. Sin importar la edad, todos estamos expuestos a esta clase de influencia; sin embargo, cuanto más jóvenes más impresionables somos, así que conviene cuidar bien a nuestros niños.

La mejor forma de influir en las impresiones que reciben los pequeños es encontrar cosas íntegras y saludables para que ellos las conozcan y disfruten, de esta forma, ofrecemos algo que es diferente en vez de crear un hueco o una brecha porque cancelamos otra cosa. Podemos lograr más aceptación y menos quejas si decimos, "Puedes ver..." en vez de "No puedes ver eso". Incluso así, la prohibición directa y firme de algunas cosas sin ofrecer alternativas puede ser necesaria en ocasiones.

Podemos crear una colección de "buenos videos", "cuentos infantiles sanos" y "canciones adecuadas", y podemos asegurarnos de que los juegos de video y de computadora que usen sean defensores de la vida. Las experiencias que afirman la vida pueden crearse y fomentarse: campamentos, deportes, juegos escolares. Podemos hablar de las tareas escolares y, si es necesario, intervenir en la escuela y señalar cuando una tarea en particular no es apropiada. También podemos vigilar a la gente con la que pasan tiempo y mantener los ojos abiertos respecto a los compañeros afectuosos, de igual forma que podemos "prohibir" cierto tipo de contenido, excepto si es un tema que se puede analizar. Por ejemplo, podemos adoptar como regla, "En casa no se aceptan películas violentas ni actos o amenazas de violencia".

Áreas por vigilar

- TV, música, letras de canciones, películas, programas de radio
- Juegos en exteriores, así como los de video y computadora
- Carteles y pósters
- Sitios de Internet, participación en salas de *chat*
- Material para las tareas escolares, análisis en clase y libros escolares
- Amigos, parientes, conocidos, grupos
- Actividades a solas y en grupo
- Cuidadores, como las nanas y otros del mismo tipo
- Conversaciones, tanto su contenido como su estilo

Mensajes para los niños

"Te da forma aquello en lo que concentras tu atención, como los programas de TV, los juegos de computadora, libros, revistas, películas, amigos. Pon mucho cuidado en su elección, por tu propio bien".

Confíe en su instinto

Nuestro instinto es una parte muy importante de nuestro repertorio paterno. Los padres por lo general saben lo que necesitan sus hijos, pues sus sistemas están sintonizados con ellos y alineados profundamente con sus búsquedas en la vida y de realización. A veces, los padres pueden equivocarse, desde luego, porque pueden estar sumidos en las dificultades, o tener escasa información o experiencia en algunas áreas, pero cuando están en equilibrio, saben lo que sus hijos hacen y no necesitan.

Los padres dicen:

- "Si pudiéramos hacer que él (piense, sienta…), entonces todo sería mejor".
- "Yo sé que algo está pasando (malo), pero no sé qué es".
- "Tengo el presentimiento de que…"
- "Yo veo (como un flash) que…"
- "No sé de dónde viene esto, pero creo (presiento, etc.) que…"
- "Tengo una fuerte necesidad de…"
- "Lo que realmente necesita es…"

Nuestras ideas, dudas, preguntas o nociones vagas persistentes o inesperadas pueden provenir de algo mucho más importante que una imaginación hiperactiva. A menudo, cuando los padres siguen su instinto, de alguna forma, descubren que tenían razón.

En general, nosotros recomendamos que usted haga algo por expresar lo que siente, su intuición.

- Tome la mano de su hijo si su intuición le dice que lo haga.
- Insista en sus preguntas si siente un impulso interno de hacerlo.

- Exprese sus dudas, miedos, incertidumbres, preocupaciones y otras reacciones mientras se comunica.
- Ría y bromee si siente el impulso de hacerlo.

La intuición y los expertos

Los expertos pueden darnos una buena cantidad de ayuda e información directas y necesarias, y eso es algo muy valioso; al mismo tiempo, nuestros hijos son nuestra responsabilidad, no de ellos. Es muy importante que evaluemos el consejo que ellos nos dan y, de ser posible, observemos los resultados que otras personas obtuvieron, luego de seguir el consejo, y veamos los que obtienen nuestros hijos cuando hacemos lo que el experto recomienda. Si obtiene los resultados que esperaba, entonces es útil, si no, entonces es mejor que intente otra cosa.

La confianza, la asertividad firme o la educación profesional de los expertos no es garantía de equilibrio, madurez, veracidad, discernimiento, verdad, conocimiento y entendimiento. No todos los expertos son padres de familia, y no todos los que lo son, son "buenos padres". Asimismo, ellos no tienen una conexión biológica no viven con nuestros hijos, como nosotros; incluso la exposición que tenemos día tras día nos da cierta ventaja en el conocimiento de lo que nuestros hijos necesitan.

> Piense siempre las cosas y confirme su veracidad usted mismo. ¿Se le ha ocurrido pensar que el profesional al que está consultando pudo haber pasado apenas sus exámenes?

Mencionamos esto porque muchos padres de hoy no confían en sus propias percepciones y habilidades. Los exhortamos a consultar a los profesionales, quienes se supone que saben lo que es mejor, además de que muchos expertos están accesibles en la actualidad a través de diversas vías. Los padres que entran en contacto con estos expertos pueden tener dudas de sí mismos y fácilmente dan paso a las "opiniones de las autoridades en la materia". Nosotros le invitamos a que incluya sus propios "instinto", conocimiento y experiencia en los planes que esté haciendo para sus hijos.

No deje de aprender

Por lo general los padres aprenden algo nuevo todos los días. Cada situación o suceso nuevos nos confrontan con nuestra necesidad de aprender, y tenemos que hacerlo "sobre la marcha" porque tenemos que lidiar con las cosas conforme ocurren, sin tener tiempo de averiguar lo que vamos a hacer. Muchos padres, en especial los primerizos, quieren garantías de que están haciendo bien su trabajo, pero la vida no se las da. Incluso las personas bien preparadas a veces se enfrentan con el no saber qué hacer, y en esas ocasiones todo lo que nos queda es dar lo mejor de nosotros mismos. Sin embargo, siempre podemos esperar que la mayoría de los niños florecen en su infancia.

Nuestra experiencia es que el aprendizaje como padres es, casi todo el tiempo, emocionante y, sólo a veces, un poco desesperante. Cuando hacemos bien las cosas, aprendemos del "ensayo y éxito", y cuando no las hacemos bien, aprendemos del "error y ensayo". Sea lo que hagamos, debemos prestar atención a los resultados obtenidos. Si las cosas salen bien, hay que acordarnos de volver a hacerlas, si no resultan como nosotros queríamos, hay que separar lo que sí funcionó y repetir eso nada más, mientras probamos algo diferente con el resto.

Cuando tenemos tiempo podemos buscar el aprendizaje que necesitamos, y hay muchos lugares en donde es posible encontrarlo.

- Hable con otros padres, amigos y parientes. Averigüe qué les funciona a ellos y tome en cuenta a los buenos padres de generaciones mayores.
- Converse con los profesionales cuando sienta la necesidad de hacerlo y recuerde siempre poner a prueba lo que ellos le dicen.
- Lea libros, vea películas o videos y escucha audiocintas. También puede navegar por la red y participar en las conversaciones de las salas de chat.
- También puede unirse en grupos de charlas "reales", grupos de padres o asistir a cursos.

En cierta forma, el reto estos días no es buscar ayuda o consejo, sino definir cuál es "el consejo correcto". Los expertos no siempre están de acuerdo, así que nosotros le recomendamos que usted tome aquello a lo que le encuentra sentido y lo ponga a prueba. Sólo entonces usted sabrá si le sirve.

3

Su experiencia en familias

Las familias inician de una manera muy sencilla: en cuanto nace un bebé, también la familia y, a partir de ese momento dicha familia es la influencia principal en el desarrollo del niño, algo que todos los que somos padres hemos experimentado. Este capítulo se refiere a algunas de esas influencias —útiles e inútiles—y cómo aprovecharlas de la mejor manera.

Dan acaba de empezar a ir a la escuela. Es el tercer día y el segundo no fue muy agradable, pues un niño de mayor edad lo estuvo molestando a la hora del recreo.

Buscando ayuda, recurre a su padre y trata de ser valiente aguantándose las lágrimas. Su padre, que está leyendo el periódico, levanta la vista y entiende la situación con una mirada. Su hijo se muestra débil en algunos momentos y, como su padre antes que él, decide lo que va a hacer.

Sin esperar a que su hijo hable, le dice, "Escucha niño, nada de eso". Trata de que su voz suene amable pero firme y se siente un poco molesto. "Si ese chico te molesta hoy, le dices que se vaya y te deje en paz".

"Pero no puedo, papá, me da miedo", palidece el niño ante esa perspectiva y comienza a temblar.

Al ver esto, el padre siente una tensión en el abdomen, que va subiendo hasta llegar a la garganta, momento en el cual suelta un grito. "Ningún hijo mío tiene miedo, ¿está claro? Los hombres se defienden solos, así que, ¡haz lo que te digo!" Y vuelve a poner la vista en el periódico, con el ceño fruncido, olvidándose de que Dan sigue ahí parado sin saber qué hacer. El hombre no se da cuenta de que acaba de repetir una escena que él y su padre repitieron muchas veces a lo largo de su crecimiento.

"¿Estás listo, Dan?", pregunta la madre cuando entra apresurada a la habitación, con el deseo de salir pronto para dejar al niño en la escuela a tiempo. "Es hora de irnos".

Dan se limpia la nariz y no dice nada.

"¿Qué pasa cariño?" La voz de la madre se suaviza y su cara muestra su preocupación. Toma al pequeño de la mano mientras se agacha para quedar a su altura y junto a él.

"No quiero ir, le tengo miedo a un niño", responde Dan y se inclina hacia su mamá en busca de apoyo.

"Ese horrible niño. No debería hacer eso", dice la mujer frunciendo el ceño. "Cuando lleguemos a la escuela, le voy a decir a la maestra que lo castigue; no deben permitir que los niños hagan esa clase de cosas a otros chicos". La mamá muestra su indignación y atrae al niño hacia ella mientras habla. Sus sentimientos encubren una temerosa inquietud por lo que le podría pasar a su hijo si ella no lo protege. Con el mismo tono de voz y actitud de su propia madre sobreprotectora 25 años antes, dice, "No te preocupes, Danny, mamá no va a dejar que nada te pase".

Dan no está muy seguro de esto, le gusta el apoyo, pero incluso dentro de su falta de experiencia, está seguro de que las intenciones de mamá pueden causarle más problemas con el otro chico, y tal vez a la maestra tampoco le guste eso. Tiembla por dentro ante la doble perspectiva, pero sigue a su madre a la puerta mientras ella sale. "Mamá y papá no fueron de mucha ayuda", piensa, y casi decide que tendrá que ser valiente y no volver a hablar de esto.

Papá, que sigue leyendo, le dice desde lejos con afecto, "Que tengas un buen día, Dan", mientras piensa, "Ángela va a ser de Dan un debilucho con toda esa basura". "Adiós, papá", responde el niño, tratando de que su voz suene confiada para que su padre no se preocupe. "Nos vemos en la noche, Rob", dice la mamá desde la puerta, mientras piensa, "Rob es muy duro con él, no se da cuenta de que todo lo que necesita es un poco de amor y comprensión".

Dan y su mamá se reúnen con Julie Alexander, la maestra del niño cuando llegan al salón de clases, quien escucha pacientemente a Ángela, mientras ésta casi no puede contener su proteccionismo maternal, al contar la historia. La maestra asegura a la madre que hará lo que sea necesario y le agradece que se lo diga cuando ella se va. Por fortuna para Dan, Julie se hace cargo de todo con mano experta.

Es muy probable que todos hayamos hecho, o visto a otros hacer, esta clase de cosas. En vez de que nuestras necesidades verdaderas y realidades determinen lo que debemos hacer, permitimos que los viejos programas decidan nuestros actos. Si esos viejos programas nos permiten hacer el trabajo, entonces son útiles, pero cuando no, nuestras respuestas pueden estar fuera de lugar y ser inútiles, como la de Rob y Ángela.

Mensajes para los niños

"Aprende de tus errores. Averigua qué puede funcionar o pide ayuda, y actúa en forma diferente la próxima vez".

Lo que Julie hizo

1. Ella sabía que siempre hay tantas versiones en una historia como personas involucradas.
2. Ella reunió a los dos niños y les permitió contar, por turno, su versión de los hechos. Nate era un año mayor que Dan.

- Dan dijo que Nate lo había molestado sin razón.
  - Nate aseguró que Dan le había echado arena a su almuerzo cuando pasó junto a él.

3. Julie le dijo a ambos lo que tenían que cambiar en el futuro.
   - "Tal vez no te diste cuenta de que echaste arena en el almuerzo de Nate, dan. Pon atención en lo que haces para que no tengas problemas, ¿entiendes?"
   - "Nate, tú eres más grande y pudiste haber manejado esto mejor. Di a los demás niños lo que quieres, no hay necesidad de molestarlos o atacarlos, y toma las cosas con calma cuando se trate de niños menores, ellos están aprendiendo. ¿Entiendes?"

4. Después hizo que ambos se disculparan.
   - Dan por la arena: "Lamento haber echado arena a tu almuerzo".
   - Nate por ser desagradable: "Siento haberte gritado".
5. Finalmente, la maestra hizo que los dos niños tomaran decisiones sobre qué hacer en el futuro y que se las dijeran a los demás.
   - Dan: "Me voy a fijar por donde camino de ahora en adelante, tendré cuidado con tu almuerzo y escucharé con atención cuando me hables".
   - Nate: "Te diré lo que está mal en el futuro para que sepas lo que hiciste. No te voy a gritar sólo porque lo hiciste".

Mensajes para los niños

"Disfruta la vida y contribuye con ella".

"Haz lo que te toca. Comparte con los demás, no tomes nada más porque sí".

"Dale apoyo a lo que te está apoyando".

"Se siente bien dedicar tiempo y energía a los demás".

Nos programan desde temprano

Nuestras familias originales tienen un efecto profundo sobre nosotros; estamos con ellas durante los primeros años, cuando se ponen nuestros cimientos más profundos como personas. De ahí en adelante, todo en la vida está en parte influido o totalmente determinado por nuestras primeras experiencias. Esto no significa que las influencias externas son los únicos factores importantes en nuestro desarrollo y en la persona en la que nos convertimos. Hablamos más de esto a lo largo del libro.

Conforme vamos creciendo, registramos todo y, más adelante en la vida, los sucesos internos y externos provocan la repetición de las cosas. Una sonrisa, un olor, un gesto, un tono de voz, situaciones particulares, ciertos acontecimientos y muchas otras cosas pueden apretar el botón para reproducir, y entonces pensamos, sentimos, actuamos, nos vemos y nos oímos de la forma como nosotros o los demás lo hicieron cuando hicimos la grabación.

Al parecer, hay dos cosas que grabamos con mayor fuerza: las que se repiten con frecuencia y los eventos específicos intensos.

- Si bien no estamos conscientes de esto en el momento, grabamos la manera como nuestros padres se hablaban entre sí y, cuando somos padres, es muy probable que nos demos cuenta que hablamos igual con nuestra pareja.
- Su madre le golpeaba en las piernas y le gritaba cuando se enojaba, y ahora usted descubre que hace lo mismo con sus hijos, aunque alguna vez juró que nunca lo haría.

También grabamos los huecos o necesidades no cubiertas en la infancia. La ausencia de lo que necesitábamos es registrada por la presencia de lo que recibíamos y que no servía.

- Los padres de Donald no insistían en que él terminara sus trabajos, por lo que ahora le cuesta trabajo finalizar las cosas, pues no hay nada dentro de él que lo impulse a hacerlo.
- Julie fue abandonada de niña. Su madre la dejaba sola durante horas, incluso cuando era una bebé. Ahora que es madre, Julie quería amar a sus hijos fácilmente, pero no era algo que estuviera dentro de ella, hasta que buscó ayuda.

Lo que aportamos a la paternidad

Los patrones se transmiten a lo largo de generaciones; nuestros padres nos los pasaron a nosotros de la misma forma que lo estamos haciendo con nuestros hijos, y ellos lo harán con los suyos. No es de extrañar que "haya cosas en las familias", y los resultados son obvios generalmente.

- "Los buenos padres" por lo general tienen hijos que a su vez son "buenos padres".
- Los que no son tan competentes generan lo mismo.
- Los padres inadecuados o abusivos dan lugar a hijos que actúan de manera inadecuada o abusiva cuando se convierten en padres.

No se trata de culpar a nadie, esto es sólo un hecho. Los únicos programas internos que hay a nuestro alcance cuando tenemos nuestros propios hijos son lo que grabamos de las personas que nos cuidaron cuando estábamos creciendo. Así que, por supuesto, nuestras primeras respuestas a nuestros hijos son muy parecidas a lo que recibimos de nuestros padres.

Nuestra infancia nos da nuestro primer programa sobre paternidad.

Esta situación es buena si nos sentimos felices con nuestra programación, y no lo es tanto para aquellos que no. Pero hay buenas noticias si queremos cambiar lo que tenemos, cualquiera que sea la programación, podemos hacerlo. Para ellos existen dos vías a nuestra disposición.

Si la información por sí misma es suficiente, podemos cambiar nuestra programación si extendemos lo que sabemos:

Nuestro padre nos decía: "Mis abuelos fueron geniales y mis padres también porque hicieron lo mismo que ellos, así que creo que yo podría ser igual. Pero cuando pensé en esto, decidí que quería hacer más que ellos, quería obtener ideas de la mayor cantidad de gente posible para poder hacer un mejor trabajo con mis hijos, Y eso es lo que he hecho".

Sin embargo, hay quienes necesitan más que información. Cuando nuestras experiencias pasadas han dejado grandes huecos emocionales, o cuando nos trataron mal o abusaron de nosotros en la infancia, quizá debamos hacer algo para corregir lo que seguimos llevando con nosotros. Pasar tiempo con padres buenos puede ayudar a llenar esos huecos de una manera adecuada, así que, busque y preste atención si lo necesita. Para problemas más serios, la consejería, la terapia y otras formas de recibir ayuda continua pueden ser de gran utilidad. Existen técnicas y terapias para ayudar a las personas a lidiar con las experiencias más extremas de la infancia y sus efectos.

Las generaciones

A Peter le encantaba el cordero asado, y le gustaba comerlo todos los domingos, como hacía su madre en casa. Jane era su nueva esposa y compartía esa pasión. Durante varias semanas, Peter estuvo intrigado por la forma como Jane preparaba el cordero para el horno.

Luego de cortarlo en dos por el lomo, lo colocaba en dos charolas, y luego lo metía en el horno; finalmente, él le preguntó por qué hacia eso.

Ella respondió sorprendida, "Porque así se cocina el cordero". "Bueno, pues no es como lo hace mi mamá", aseguró Peter.

El domingo siguiente, la suegra de él fue a almorzar con ellos. Peter tuvo la oportunidad de preguntarle sobre cortar al cordero por la mitad y recibió la misma respuesta exactamente: "Porque así es como se hace", y siguieron hablando de eso mientras Peter explicaba de nuevo que su familia no cocinaba el cordero de esa forma.

Algunas semanas después, todos asistieron a una reunión familiar en la que estuvo presente la abuela de Jane, por lo que decidieron preguntarle a ella. "¿Por qué se corta el cordero por la mitad antes de asarlo abuela?"

"¿A qué te refieres?", respondió la abuela sorprendida. "Yo no cocino así el cordero".

Y luego le explicaron por qué le preguntaban eso.

La abuela rió divertida y dijo, "Ah, ya sé qué pasó. Cuando tu mamá era niña, Jane, teníamos un horno muy pequeño, así que cuando preparaba cordero tenía que cortarlo a la mitad para que cupiera en el horno. Seguramente tu mamá nunca se dio cuenta por qué lo hacía".

Todos rieron al darse cuenta de las cosas.

Desafío de nuestras actitudes

Actualizar nuestras viejas grabaciones es importante para todos. La mayoría de los padres tienen, por lo menos, 20 años más que sus hijos. Por eso, incluso los mejores programas que nuestros padres nos transmitieron pueden tener más de 20 años de antigüedad. Lo bueno es que el solo hecho de vivir con ellos logra cambiar a algunos, y cuando necesitamos hacer algo específico para cambiarlos, varias pautas nos son de gran ayuda.

Olvídese de la culpa

Como personas adultas que somos, todos somos responsables de nosotros mismos, cualesquiera que puedan ser nuestros orígenes. La vida es mucho más sencilla si asumimos esta responsabilidad sin culpa, pues ésta no traslada nuestra responsabilidad de nosotros mismos a nadie más, más bien interfiere con el cambio porque nos distrae de nosotros mismos, que es en lo que debemos concentrar nuestra atención. No sir-

Afirmación: Soy un buen padre y mejoro cada día.

ve de nada culpar a los padres o a los demás por la vida que tenemos.

Las decisiones del pasado pueden limitarnos

A lo largo de nuestro crecimiento tomamos decisiones respecto a cómo vamos a actuar en el futuro. En ese tiempo, las decisiones tienen sentido, pero en años después pueden ser limitantes. Es mejor decidir, "Sólo lo voy a hacer cuando convenga o sea necesario", en vez de "siempre lo haré" o "nunca haré eso".

- Petra siempre era conciliadora y tranquila con sus hijos. Siempre trataba de arreglar las cosas, así como decidió que lo haría a los ocho años de edad. De esta forma, sus hijos aprendieron que debían "poner buena cara" aun cuando se sintieran incómodos. Todas las cosas parecían crecer en proporciones bajo la superficie porque a nadie le estaba permitido enfrentarlas directamente. Las cosas en la familia estallaron por sus propios problemas no resueltos cuando los hijos eran adolescentes.
- En respuesta a una paliza que le diera su padre, Shula decidió, "Nunca le pondré la mano encima a mis hijos y tampoco les voy a gritar". Sellada esa promesa con la pasión de aquel remoto momento, se dio cuenta de que le costaba mucho trabajo incluso tocar a sus hijos con afecto o tomarlos con firmeza de las manos cuando era necesario controlarlos o protegerlos. También sentía que las palabras se atoraban en su garganta cada vez que necesitaba alzar la voz, aunque fuera sólo para llamar la atención de los hijos.

Construir sobre lo que tenemos

Toda cualidad tiene su propio valor y nosotros podemos encontrar este valor y extenderlo. En vez de pensar en el lado negativo de algo, pensemos en las situaciones en las que es realmente útil ese algo.

- Si por lo general usted espera mucho antes de actuar, evite pensar algo como, "Soy pasivo, nunca hago las cosas", mejor piense, "soy muy paciente y tolerante con mis hijos, y de hoy en adelante voy a actuar de inmediato cuando ellos necesiten que lo haga".
- Si por lo general es usted poco amistoso y agresivo, evite pensar cosas como, "Soy un estúpido", mejor piense "Soy lo suficientemente fuerte para hacer que los niños hagan lo que no quieren hacer; a partir de ahora también voy a ser amigo de ellos y los voy a amar abiertamente".

Lleve un registro de sí mismo

Recomendamos a todos los padres que se vigilen solos de una manera amable, positiva y activa. Cuando estamos bajo presión, por lo general recurrimos a lo que nos es más familiar mientras buscamos cómo manejar esa presión. Los patrones pasados por lo general son más conocidos. Al vigilarnos, podemos llevar un registro de cómo vamos a responder y hacemos lo que es necesario para asegurarnos de actuar de manera apropiada para el momento y que tenga que ver con las necesidades y el bienestar de la gente involucrada.

4

Los patrones de su propia familia

Darnos cuenta de que los patrones pueden ayudarnos aleja nuestro pensamiento de los detalles de los sucesos diarios. Hacer esto puede ayudarnos a tomar una decisión clara acerca de cómo fortalecer lo que queremos promover y cambiar lo que deseamos modificar.

Es bueno observar los patrones

Los patrones familiares tienen que ver con lo que repetimos. Por ejemplo, por lo general vemos patrones en quienes acostumbran lavar los trastes, quien trabaja por ingresos, en la forma como se toman las decisiones, quien hace el trabajo de casa, en los sentimientos que los miembros de la familia expresan normalmente y los que regularmente no expresan.

Creemos que los dos beneficios principales pueden provenir de observar los patrones deliberadamente. Uno tiene que ver con la orientación y los estilos de la familia, y el otro con entender la importancia de sucesos específicos.

Orientación y estilos de la familia

Cuando las parejas se unen, por lo general hablan de la clase de familia que quieren tener: su familia ideal, y estas ideas dan dirección a una buena parte de lo que hacen en sus primeros años juntos.

- "Quiero que nuestros hijos sean amigos".
- "Los padres deben hablar entre sí y ser consistentes con sus hijos".
- "Debemos asegurarnos de que todos se diviertan lo más posible".

Compartir nuestras metas generales para nuestra familia nos ayuda a mantener una apreciación general de la manera como hacemos las cosas en casa. Las familias en las que los padres se relacionan activamente con sus imágenes de familia ideal, tienden a hacer bien las cosas. La vida para todos tiene más consistencia, orientación y significado que en aquellas en las que los padres no hacen esto. De igual forma, sus familias parecen tener fuerza y sustancia, como unidad, que otras familias no tienen. Dedicar tiempo a desarrollar nuestro ideal vale la pena. Algunas de nuestras ideas podrían ser de utilidad:

- Cada miembro habla y actúa con respeto a los demás.
- Todos expresan amor y afecto.
- Decir "buenos días", "buenas noches" y "hola" es importante.
- La cortesía es importante.
- Las amenazas o los actos de violencia no son aceptables.
- Se fomenta expresar los sentimientos de manera directa y respetuosa.
- Pensar con claridad y lógica y llegar a buenas conclusiones es valorado.

En nuestra experiencia, resulta muy fácil perder el rastro de estos ideales, pues las presiones de la vida diaria pueden sobreponerse a las imágenes que algunos padres tienen y olvidan lo que alguna vez quisieron. Al final, se quedan con lo que tienen y no con lo que quieren, y lo que tienen puede ser tan sólo un reflejo pálido de lo que es realmente posible para ellos.

Piense un momento en su propia familia. ¿Qué patrones observa? Puede agregar un poco de diversión si piensa en un lema que abarque casi todo. Algunos muy comunes son:

- "Repartir equitativamente".
- "Todos para ella/él".
- "Frente unido contra el mundo".
- "El primero y mejor vestido".
- "La familia sabe más".
- "La piel herida recibe amor".

Observar los patrones en la vida diaria nos brinda las bases a partir de las cuales podemos pensar claramente en lo que queremos.

- Al parecer los niños pasan mucho tiempo peleando. Usted interrumpe cada incidente, pero no les enseña a jugar de manera cooperativa y feliz entre sí. Al darse cuenta de esto, comienza a enseñarles a actuar de manera diferente.
- Casi todo el tiempo de todos se pasa en labores del hogar, el trabajo y el sueño. La diversión se ha olvidado y no se planea nada divertido, ni siquiera cosas triviales. En el momento que se da cuenta de esto, comienza a planear algunos ratos agradables, como pedir que traigan comida a casa, y cosas más grandes como una noche familiar a la semana y unas vacaciones juntos.
- Se dan cuenta que, como padres, dicen cosas contradictorias a sus hijos. Han estado tan ocupados, que no se dan tiempo para hablar de cómo manejar las cosas. Luego de darse cuenta de esto, se pone de acuerdo con su pareja para reunirse y hablar de las "cosas importantes" que viven los niños en este momento. Deciden reunirse con frecuencia para charlar de esto. (Vea el capítulo 7, "Trabajo en equipo, y el 11, "Reuniones familiares", para más información).

Algunas buenas preguntas acerca de la familia

1. ¿Quién decide generalmente las cosas y quién hace que se hagan?
2. ¿Por lo regular usted maneja la familia solo o con ayuda?
3. ¿Quién ayuda en la casa y cuánto?
4. ¿Quién hace muy poco o nada en la casa?
5. ¿Con quién hablan y actúan entre sí?
6. ¿Cómo hablan y actúan los niños con su pareja?
7. ¿Hay algunos momentos del día que sean más difíciles que otros?
8. ¿Quién levanta a los niños, los viste y los lleva a la escuela casi todos los días?
9. ¿Cuáles son los patrones de sueño de los niños?
10. ¿Cómo deciden usted y su pareja en qué ahorrar y qué comprar?
11. ¿Uno de ustedes calma y nutre más a los hijos que el otro?
12. ¿Las niñas son tratadas distinto de los niños?
13. ¿Cómo trata a cada hijo en general?
14. ¿Tiene algún favorito?
15. ¿Cuál es el equilibrio entre jugar, hacer los quehaceres, ser padres, trabajar y dormir?
16. ¿Con quién se siente generalmente feliz en su familia?
17. ¿Con quién se siente generalmente a disgusto en su familia?
18. ¿Por lo general quien revisa y ayuda con la tarea?
19. ¿Sus hijos quieren que se cambie algo?
20. ¿Usted quiere que algo sea diferente?

Piense en sus propias preguntas también. Luego de responderlas, reflexione en lo que quiere y luego haga planes para tener más de eso y menos de lo que no quiere.

Patrones anteriores

Considere esta situación. Observe su importancia y lo que necesitamos hacer al respecto cambia cuando incluimos información contextual.

> *Theresa corre hacia la entrada, empujando violentamente a su hermano para quitarlo del camino, quien cae al suelo y llora.*

- Si esto sucede sólo una vez, una simple llamada de atención como, "Cuida a tu hermanito Teresa, no lo empujes así", puede ser suficiente.
- Si la niña tiene la costumbre de empujar a su hermano, tal vez usted deba "decidir" detenerla y hacerla reflexionar en sus actos para que tome una decisión respecto a su conducta futura, como, "Voy a tener cuidado de ahora en adelante y a esperar cuando Mario se atraviese".
- Si ha tomado esta decisión dos veces antes tal vez tenga que "decidir" detenerla y exigirle con más firmeza. También puede establecer consecuencias serias para hacer que entienda mejor las cosas, considerando que Theresa sea lo suficientemente mayor para beneficiarse de eso.
- Si ella fuera más amable que antes, o usted viera que espera un un tiempo, aunque sea un poco antes de volver a empujar a su hermano para pasar, quizás tenga algo que aplaudirle. Podría decir, "Theresa, ya estás siendo más amable con Mario. Me da gusto que esperaras el tiempo que lo hiciste, pero tienes que esperar más para que él pueda llegar a la puerta. Tú eres mayor que él, así que tienes que ser paciente a veces".

Los sucesos fuera de contexto y específicos pueden tener muchos significados diferentes. En el momento en el que adquirimos conciencia de los patrones anteriores relacionados con esos sucesos específicos, sin embargo, podemos entenderlos plenamente. De igual forma, al tomar en cuenta lo que por lo general es cierto y lo que nos gustaría que lo fuera, podemos:

- actuar con más consistencia
- seguir métodos más prácticos en la forma como hacemos lo que hacemos
- ser más precisos al decidir lo que nuestros hijos y nuestra familia necesitan.

Cambiar patrones

Para cambiar un patrón todo lo que necesitamos hacer es cambiar lo que todos hacen para crear ese patrón.

- Tres de los cinco niños pelean mucho entre sí. Concentre sus esfuerzos en hacer que esos tres aprendan a hacer las cosas de manera cooperativa. Cuando lo hagan, el patrón será diferente.
- Mamá hace la mayor parte del trabajo de casa y el padre paga casi todo. Usted quiere que las cosas se compartan de manera diferente. Hablen y hagan una nueva distribución de sus responsabilidades. Cuando lo hagan, sus patrones de responsabilidad serán diferentes.

Un poco de cambio se puede lograr con más facilidad cuando hacemos que cada uno de los miembros importantes de la familia cambie, algunos comprometiendo a toda la familia de una sola vez.

- Usted empieza a darse cuenta de que dos de sus hijos discuten con frecuencia. Comentar esto en la cena o decírselo a ellos cuando están discutiendo no ha servido de nada, así que usted habla con ellos por separado acerca de lo que están haciendo con el otro. Averigüe cuál es el problema con cada uno y ayúdelos a encontrar una solución práctica para resolver las cosas. Luego reúnalos para que lleguen a acuerdos entre sí sobre lo que van a ser de ahí en adelante.

- Si bien todos en la familia tienen tareas que hacer y saben que deben hacerlas, usted nota que se requiere mucho esfuerzo para lograr que laven sus trastes a la hora de la comida. En la siguiente comida, usted hace afirmaciones generales como, "Cuando terminemos, todos van a ayudar a levantar la mesa y se van a quedar hasta que todo el trabajo esté terminado. Nos vamos a vigilar todos y a asegurarnos de que todos hagan lo que les toca". Cuando logre un cambio, haga otro anuncio general como, "Bien hecho. Todos hicieron un gran trabajo ayer, vamos a hacerlo hoy otra vez y así todos los días".

Un poco a la vez

Cambiar las cosas un poco a la vez por lo general es mejor que tratar de hacer cambios drásticos de repente. Cuando hacemos las cosas poco a poco, todos podemos adaptarnos con mayor facilidad. Los grandes pasos se notan más y son más difíciles, así que prepárese para el tiempo que se necesite... años si es necesario.

- Uno de sus hijos se siente muy incómodo con las muestras de afecto físicas y los toques. Él procura alejarse del contacto físico, excepto cuando está muy relajado o cansado. Usted prepara un programa de expansión y comienza por tocarlo en cualquier oportunidad, sólo un toque ligero en el brazo, la cabeza y un suave empujón cuando pasa cerca de él. A medida que se acostumbra a esto, hace que el contacto sea un poco más intenso y sostenido, como oprimirle un brazo, darle un beso en la cabeza o la mejilla y acercarlo un momento a usted. Después aumenta la intensidad del contacto con cosas como tomarle de la mano, abrazarlo mientras están parados juntos, abrazarlo con más fuerza y más tiempo, sentarse juntos en el sofá y tomarse de las manos, sentarse con los brazos de usted alrededor de él y sentarlo en sus piernas (¡dependiendo de la edad y el tamaño!).

Recuerde: pequeños pasos fáciles de dar generalmente nos van a llevar más lejos que grandes saltos.

Una palabra de advertencia

Cuando alguien está en peligro no tenemos tiempo de hacer las cosas poco a poco, debemos cambiar inmediata y completamente o crear resguardos completos para garantizar la seguridad de todos. Es mucho mejor actuar con firmeza ahora que arrepentirnos después por no haberlo hecho.

- Su hijo está mordiendo con fuerza al bebé.
- Sus hijos mayores no cierran la puerta de entrada a la piscina y los menores pueden entrar sin ser vigilados.
- Su hijo adolescente está muy deprimido y le dice a usted o a un amigo que ya no quiere vivir.

El tiempo y la repetición

Aprender algo requiere tiempo y repetición; algunos cambios toman años, así que, mientras busca cambiar los patrones en su familia, acepte esta realidad, pues es probable que todo el proceso resulte más fácil cuando lo haga. Algunos ejemplos de áreas de aprendizaje y cambio de largo plazo incluyen aprender a ser sensibles a los demás, persistir en hacer las labores diarias, el cuidado y el equilibrio personal, la cortesía y otras formas de respetar a los demás, cuándo tomar una posición y cuándo cooperar, y cómo expresar los sentimientos y resolver problemas personales. Esto es perfectamente normal y a nosotros nos toca hacer lo que sea necesario. Simplemente continuamos el tiempo que sea necesario, quizás con la esperanza de saber que debemos perseverar. Al saber las cualidades que queremos ver en nuestros hijos, seguimos corrigiéndolos, apoyándolos, interrumpiéndolos, alabándolos y criticándolos con ese objetivo en mente.

La consistencia y la persistencia rinden buenos frutos.

Mensajes para los niños

"Los grandes cambios surgen de pequeños pasos. Comienza con algo pequeño que puedas hacer ahora".

"Si ya lo hizo alguien, tú también puedes aprender a hacerlo".

"Termina lo que comienzas, aunque te tome mucho tiempo".

"Sigue insistiendo hasta que se resuelvan totalmente los problemas".

"Aguanta, lo vas a conseguir".

Involucrar a los hijos

Los hijos ayudan a generar patrones familiares desde el día que llegan. De igual forma, desde edades muy tempranas, los niños tienen buenas ideas sobre lo que puede funcionar mejor en casa, así que sugerimos que todos se reúnan con frecuencia para hablar de cómo están las cosas en la familia. Al usar las buenas ideas de los hijos podemos tomar decisiones acerca de las pautas familiares, las reglas, las regulaciones, los límites, las recompensas, las consecuencias y las actividades compartidas.

Los niños pueden aprovechar de manera muy especial este proceso, pues estas charlas brindan excelentes oportunidades para que aprendan acerca de muchos aspectos de la vida. También aprenden a hacer sugerencias, analizar las cosas y participar en y ser testigos de la toma de decisiones. Todo esto es un aprendizaje importante para ellos. Su participación a menudo los hace inclinarse a seguir las decisiones tomadas que cuando se "imponen" reglas sin estudiarlas. Creemos que es importante que los padres permanezcan a cargo de estas charlas y de las decisiones finales, pues ellos saben más acerca del mundo y de lo que se necesita en la vida.

Frases útiles...

Intervenir para bien

En la adolescencia, muchos jóvenes tratan de intimidarnos diciendo, "No te metas. Es mi vida y tengo que vivirla". Y se supone que debemos aceptar esto y hasta sentirnos culpables porque nos oponemos a lo que quieren.

Podemos decir, **"Es mi obligación como madre/padre interferir siempre que me parezca que estás equivocado o estás haciendo algo que es arriesgado, poco sano o malo. En este momento creo que lo que estás haciendo es (sea específico) y no lo vas a hacer".**

Tiempo de juego para los niños

A los niños les gustan cosas distintas a edades diferentes, así que cuando pensemos qué hacer para divertirnos, debemos tomar en cuenta esto.

A los **infantes** les encanta la calidez emocional, el afecto físico y el contacto, y les gusta moverse. Los abrazos y las caricias, lanzarlos con cuidado y atraparlos, mecerlos, sujetarlos para que "traten de liberarse", cargarlos sobre los hombros o "de caballito" es sensacional para ellos. Los juegos de destreza, particularmente cuando son más grandes: los bolos, juegos de pelota de equipos, las rondas y los deportes de equipo. Jugar a la casita, al doctor y las enfermeras, todos son atractivos en distintas edades.

Los **adolescentes** gustan de participar en deportes y juegos competitivos y no competitivos. Se divierten y aprenden muchas lecciones importantes. Las salidas y las vacaciones con los amigos y la familia, ir al cine, salir con los amigos, son actividades excelentes para ellos. Pueden divertirse mucho al compartir intereses como el futbol, el criquet, y otros deportes, o leer y hablar de asuntos sociales.

juegos de pelota y otras actividades que tienen que ver con la coordinación física son estupendas también. Los juegos de palabras, leer y contar puede ser igual de divertido y ayuda al desarrollo posterior.

Los **niños** participan en juegos físicos como correr, saltar, lanzar y atrapar una pelota, brincar, trepar, subir a los columpios y contorsionar el cuerpo. Las actividades que son menos físicas incluyen el juego de naipes, jugar juegos de palabras, sumar y restar, resolver acertijos y contar chistes. También son buenos los

5

Dinámica familiar

Cuando todo está bien en la familia y en nuestra vida personal, nos divertimos juntos y compartimos la vida. Como todos sabemos, la vida no siempre es fácil o amable con nosotros, la mayoría pasamos por periodos de dificultad y retos en la familia. Es en esos momentos que resulta útil tener cierta guía sobre lo que sucede para que podamos enfrentarlo o manejarlo mejor.

En este capítulo vamos a analizar dos aspectos de la dinámica familiar y a hacer algunas sugerencias sobre cómo cambiar las cosas para mejorar. Esos aspectos son la manipulación y los dramas familiares.

Dramas familiares

Las telenovelas atraen a muchas personas debido a sus altibajos dramáticos. Muchas familias viven de esta forma, y se puede ver lo que está sucediendo cuando usamos una herramienta llamada "Triángulo del drama".

Éste tiene tres posiciones, cada una de las cuales posee su propio estilo y cualidad. Las posiciones son el *Perseguidor*, el *Rescatador* y la *Víctima*. Los nombres solos ya nos hablan de los puestos; para muchas personas, la "emoción", el "entretenimiento" y el "drama" en la vida vienen de usar estas tres posiciones y de intercambiarlas con frecuencia.

Considere la siguiente situación. La familia está sentada viendo la televisión y surge una disputa por el programa que van a ver.

Anne: Quiero ver "El programa de la naturaleza" *(tiene siete años de edad).*

Fred: Yo quiero ver "Historias de miedo" *(tiene nueve y vieron lo que él quiso la semana pasada).*

Anne: No le toca. *(Hay un gimoteo en su voz al tiempo que se desliza a la posición de víctima).*

Fred: *(Presintiendo que puede perder por el voto de solidaridad, decide tratar y ganar la posición de víctima y habla con una voz más dolida)* Tú siempre ves lo que quieres, yo nunca veo lo que quiero.

Anne: *(Mamá y papá miran a la niña como si fueran a dar su apoyo a Fred y con una gran práctica empieza a llorar)*. Fred es más grande y siempre hace cosas que yo no puedo. *(Ahora ocupa nuevamente la posición de víctima).*

Mamá:*(Con expresión preocupada, está a punto de decir algo cuando Fred interrumpe. Ella está en la posición de rescatadora y mira directo a Anne).*

Fred: *(Se burla y mira con veneno a Anne)*. Oh, es una llorona. *(Ha cambiado a la posición de perseguidor, pero se da cuen-*

ta que hará enojar a mamá con eso, así que rápidamente cambia). No es justo. *(Vuelve el tono de voz de lamento).* Es mi turno. *(Pero mamá sigue mirando con ternura a Anne, así que Fred ahora recurre a la mala conducta general, y vuelve a ocupar la posición de Perseguidor).* Supongo que las mamás y las hijas siempre tienen que estar unidas.

Papá: ¿Quién te crees que eres? ¿Cómo te atreves a hablarle así a tu mamá? *(No es indiferente, pero tiene reglas sobre cómo hablar apropiadamente, y las hace cumplir).* Cuida lo que dices o vas a sentir la fuerza de mi mano. *(De inmediato el padre ocupa la posición de Perseguidor con este despliegue maestro. Fred cede y baja la cabeza y los hombros).* Discúlpate con tu madre en este instante. *(Ahora el padre es neutral, pero sigue en la posición de Perseguidor).*

Fred: Lo siento. *(Murmura, en posición de víctima, pero a nadie engaña. Sigue muy enojado y quiere tomar venganza).*

Mamá: *(Tratando de hacer algo bueno).* Vamos a calmarnos todos y a tener una tarde agradable. No queremos estos pleitos, ¿verdad? *(Sigue firmemente en la posición de Rescatadora, de la cual la sacan muy pocas discusiones familiares).*

Niños: *(Los dos niños comienzan a gritarse tratando de ganar puntos).*

Papá: *(Gritando más fuerte que ellos).* Si no se comportan los dos, nadie va a ver nada y todos nos lo vamos a perder. *(Es Perseguidor de nuevo, amenazando a todos con la posición de víctima, incluido él. Esto es muy inteligente, en particular si él quiere ver "60 minutos". Luego de que los niños intercambian algunas palabras más, él toma la decisión y todos ven "60 minutos". Papá gana).*

El resultado puede parecer que surgió por omisión, pero fue determinado por las distintas posiciones. Si las vemos por turnos, tenemos la idea general.

Perseguidor

Mientras se encuentran en la posición de Perseguidor, las personas generalmente se comportan con los demás en forma desagradable, denigrante, abusiva o excesivamente controladora. Su postura básica es "Yo estoy bien, tú no estás bien", lo que significa que creen que hay algo mal, negativo o que falta en la otra persona.

Usan nombres, agravian, hacen menos, violan, se burlan, hacen declaraciones ofensivas, frías y vengativas además de seguir otras tácticas para conservar el poder. Mientras transfieren la mayor cantidad de incomodidad a los demás, mantienen la mano en alto. Como no están interesados en el bienestar de los demás, los Perseguidores se mantienen insensibles y ajenos a ellos.

Se aprovechan de las Víctimas y tratan de perseguir a los Rescatadores, a quienes perciben como blandos, débiles y que no entienden lo que está pasando.

Rescatador

Cuando se colocan en la posición de Rescatadores, las personas por lo general hacen cosas que se suponen son útiles, atentas, de apoyo o amables. Sin embargo, todo lo que se haga tiene el efecto de retener a la gente, de reducir su poder y de hacerlas depender más del Rescatador. Su postura básica es, generalmente, "Yo estoy bien, tú no estás bien". Casi todos los rescatadores creen que hay algo malo o faltante en las personas que necesitan su ayuda, apoyo y corrección.

Pueden parecer útiles, atentos, tiernos, interesados, dedicados o muy comprometidos con los demás, pero en realidad se están preocupando por sí mismos. Ignoran las capacidades y necesidades reales de las personas con la intención de hacerse indispensables para la gente a la que están ayudando. Su intención de hacerse cargo de la incomodidad de los demás en realidad está dirigida a cuidar de su propia incomodidad, algo de lo que no están conscientes generalmente.

Los Rescatadores suponen que aquellos a los que Rescatan son incapaces de hacer cosas que son muy capaces de hacer. Aceptan muy bien a los Víctimas y no les gustan los Perseguidores, a quienes tratan de Rescatar de sus percepciones inadecuadas y erróneas acerca de los Víctimas.

Víctima

Al asumir la posición de Víctimas, las personas casi siempre se presentan ante los demás como menos adecuadas, capaces, competentes, poderosas o auto-suficientes de lo que en realidad son. Por ejemplo, fingen, a menudo a sí mismos por igual, que no pueden hacer algo que sí pueden; que no pueden pensar o recordar, que no entienden lo que sí entienden, o que no saben cosas que en realidad sí saben. Su posición básica es, "Yo no estoy bien, tú estás bien", o "No estoy bien, tú no estás bien".

Los Víctimas asumen una posición dependiente y buscan respuestas de los demás que refuercen las cosas inadecuadas que ellos presentan. Pueden tener alguna preferencia por la dureza o por la amabilidad, pero ninguno vence al otro. Pueden llorar, gimotear o sufrir, o actuar de manera aguda, seductora y tímida, o pueden estar enojados y ser provocadores y desagradables.

Se llevan bien con los Perseguidores y los Rescatadores, a menudo teniendo preferencia por uno u otro. Inconscientemente por lo menos, casi siempre se dan cuenta de que su posición es más poderosa que cualquiera de las otras dos, ya que los Perseguidores y los Rescatadores dependen de que haya una Víctima. El aspecto esencial de la posición de Víctima es la precepción de y el compromiso con lo que es inadecuado por parte de ella.

El objetivo de las tres posiciones es estar en el Triángulo.

Las tres posiciones son limitantes

Cuando nos comunicamos dentro del Triángulo, generalmente lo que hacemos es inútil, repetitivo y limitante. Podemos cambiar de posición con frecuencia o actuar principalmente desde nuestra favorita. Sin importar lo que hagamos, los problemas no se resuelven; de hecho, a menudo se crean. Siempre que estamos dentro de un Triángulo, nos estamos haciendo menos a nosotros mismos o a los demás de alguna forma, y las personas generalmente terminan sumidas en una red de sentimientos que hacen que la vida sea menos sencilla de vivir y más incómoda de lo necesario.
La forma de cambiar estos patrones inútiles es actuar por

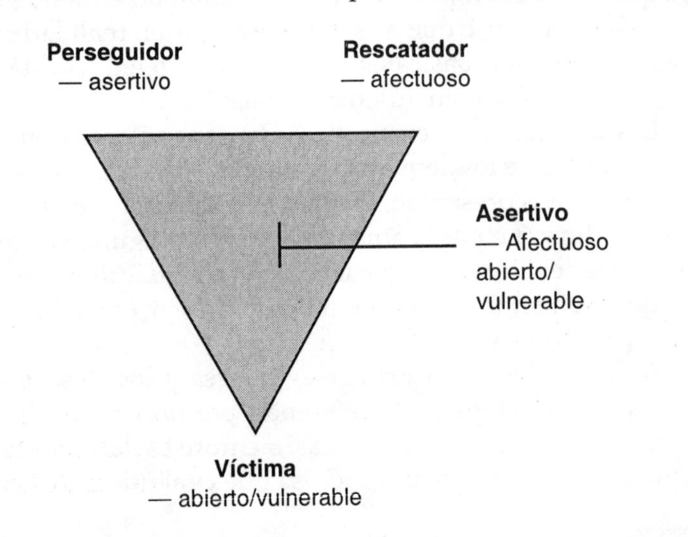

fuera del Triángulo. Para hacer esto podemos usar una técnica llamada "comunicación directa".

Comunicación directa

La mejor comunicación es la directa. Es clara de las conductas que son características del Triángulo del Drama. Los resultados quedan determinados por los hechos de las situaciones y nuestras capacidades, necesidades, sentimientos, deseos y entendimientos reales. La posición es "Yo estoy bien, tú estás bien". Aburrida y monótona para algunos, esta manera de vivir por lo general nos abre a experimentar sentimientos como felicidad, amor, seguridad y realización.

Ahora, para estar en cualquier posición en el Triángulo, necesitamos excluir las otras dos posiciones; esto significa que no nos vamos a permitir experimentar o actuar de maneras que estén fuera de los límites de la posición que estamos ocupando.

- Los Perseguidores excluyen la blandura y el afecto (que relacionan con el Rescatador) y no reconocen la vulnerabilidad en los otros (que relacionan con el Víctima).
- Los Rescatadores excluyen el hacer exigencias a los demás (que relacionan con el Perseguidor) y no reconocen incapacidades personales en sí mismos (que relacionan con el Víctima).
- Los Víctimas tienen poca o ninguna esperanza o adecuación (que relacionan con su necesidad de un Rescatador) y creen que no pueden cubrir las exigencias que les hacen los demás (y que usan para invitar al Perseguidor a actuar).

Entonces, ¿qué pasa si descubrimos que estamos en el Triángulo? ¿Cómo podemos actuar diferente? Las pautas son muy sencillas. Para salir del Triángulo hay que actuar de una forma que, realista y prácticamente, combinen con las cualidades útiles de las tres posiciones: asertividad (del Perseguidor), afecto (del rescatador) y apertura (del Víctima).

- Sea asertivo. Exprese lo que es importante para usted y lo que observe que sucede a los demás.
- Sea afectuoso. No pierda la sensibilidad a sí mismo y a los demás.
- Esté abierto. Exprese sus propios sentimientos de manera abierta y directa.

¿De qué manera actuar así va a cambiar la situación en la familia que quiere ver la televisión por la noche? Vamos a echar otro vistazo.

La comunicación directa está fuera del Triángulo.

Anne: Quiero ver el "Programa de Naturaleza". *(Esto es directo).*

Fred: Yo quiero ver "Historias de Miedo". *(Esto también es directo).*

Anne: No le toca. *(Probar con lo siguiente:* **Asertiva:** De verdad quiero ver el "Programa de Naturaleza". Fred vio lo que él quería la última vez. **Afectuosa:** Sé que te gusta "Historias de Miedo". **Abierta:** Pero a mí me gusta el "Programa de Naturaleza" y me va a dar mucha tristeza si no lo veo esta semana).

Fred: Tú siempre ves lo que quieres. Yo no veo lo que yo quiero. *(Casi todo esto ya lo trató Anne en las frases previas. Las dos declaraciones son mentiras claras, lo cual puede señalarse de manera directa si él dijera esto. Probar con lo siguiente:* **Asertivo:** A mí no me interesa el "Programa de Naturaleza" y quiero ver el mío. **Afectuoso:** Pero tampoco quiero que te lo pierdas. **Abierto:** El único problema es que tampoco quiero perderme el mío).

Anne: *(Esta vez no hay necesidad de llorar en este punto).*

Mamá: *(En vez de pensar en rescatar, podría mantenerse fuera de la discusión más tiempo, o podría decir algo diferente. Probar con esto:* **Asertivo:** Bueno, es claro que no pueden ver lo que cada uno quiere al mismo tiempo. **Afectuoso:** Me gusta que sean directos y abiertos entre sí. **Abierto:** Siempre me siento mal cuando ustedes discuten. *Luego los guía a resolverlo entre ellos,* ¿Cómo pueden resolverlo?).

Fred: Oh, ella siempre está de llorona *(Esto no es necesario ahora. Probar con lo siguiente.* **Asertivo:** Me siento muy enojado por eso. No me gusta que llores para salirte con la tuya. **Afectuoso:** Sé que quieres ver tu programa. **Abierto:** Como ya dije, a mí no me interesa.*).*

Papá: *(Suponiendo que todo vaya bien, puede hacer una sugerencia sobre las opciones que quizás a ellos no se les hayan ocurrido. Probar con lo siguiente:* Bueno, yo pienso en tres cosas que pueden hacer. Los dos pueden ver la mitad de su programa; o pueden decidirse por uno totalmente diferente; o pueden hacer lo que generalmente hacemos y tomar turnos, y es el turno de Anne esta semana).

Con suerte, la charla avanza sin percances y se llega a una decisión mutua, aunque tal vez Papá y mamá tengan que tomar la decisión final si Anne y Fred no llegan a un acuerdo. Sin embargo, con esta nueva atmósfera hay más probabilidades de que esa decisión se base en cuestiones más prácticas y razonables que antes.

Mensajes para los niños
"¡Anímate. Sé afectuoso y ábrete!"
"Toma una posición cuando algo sea importante".
"Actúa a partir de tu fortaleza, evita enojarte o ser incisivo".
"Procura estar abierto a las ideas y los sentimientos de los demás".
"Tú y los demás pueden no estar de acuerdo y ambos tener razón".
"Todos somos diferentes y es bueno disfrutar nuestra diferencia".

Evite la manipulación

Manipulamos cuando hacemos que los demás hagan algo que normalmente no harían mediante una conducta o amenaza de conducta de manera que a ellos no les gusta. Los padres deben aprender a hacer esto en bien de sus hijos porque es una parte natural de establecer las consecuencias. Sin embargo, aquí nos referimos a la manipulación que genera resultados no deseados.

Puede parecer que la gente tenga un gran control sobre los demás a través de la manipulación injustificada. Éstos son algunos ejemplos:

- El hijo menor "está asustado todo el tiempo". La familia gira alrededor de él. Siempre que tiene que hacer algo que no quiere, le da miedo, y cuando la familia planea salir, le dan ataques de asma.
- A uno de los niños "no le gusta la pizza". Al principio es sólo una moda temporal, pero poco a poco se convierte en algo que afecta a toda la familia. Ahora, la pizza nunca está en el menú, incluso para quienes sí gustan de ella.
- Cuando hay conflicto, los niños que guardan silencio o que huyen están llamando la atención. Hacen pare-

cer la situación como si los demás debieran poner más energía en resolver lo que está sucediendo que ellos.

- Cada vez que esperamos que los niños hagan algo que no les gusta, hacen berrinche o inician una secuencia predecible de intercambios incómodos con nosotros. Nosotros nos damos cuenta de que comenzamos a evitar incluso hablar de ciertas cosas o esperar otras de ellos debido a los remilgos que "ocasionan". Ellos tienen el control de una forma que no es buena para ellos ni para nosotros.

Varias cosas funcionan rara vez para lidiar con esta clase de cosas.

- Tratar de hacer todo bien; tratar de complacer a los hijos. ("¿A ti qué te gustaría querido? ¿Qué te parece esto y esto?").
- Apaciguar las cosas para evitar molestias y otras consecuencias. ("Está bien, no tienes que hacerlo. Papá lo hará por ti. Puedes hacer otra cosa").
- No hacer nada con lo que los niños están haciendo. (Cambiar de tema, no decir ni hacer nada, mirar a otro lado).
- Desahogar nuestras frustraciones de manera abusiva en vez de enfocarnos en un objetivo. (Insultar, no hacer lo necesario para cambiar la conducta del niño).

Lo que funciona es:

- Mantenerse activo y abordar los problemas.
- Darse cuenta de que la enfermedad o la vulnerabilidad son fuerzas poderosas en las manos de alguien manipulador. (No sabemos si la persona está enferma o no).
- Responder a los sentimientos que hay detrás de la conducta y manejarlos. (El niño asmático y temeroso estaba enojado casi siempre, no atemorizado).

- Referirse a los resultados y actuar de manera que se obtengan los que buscamos. No "castigue" a los demás por la conducta de uno solo. (Busque formas de comer pizza).
- Separar lo real de la manipulación. (algunas cosas comienzan como reales, como la enfermedad o las modas de comida, pero terminan como manipulación cuando los niños aprenden a usarlas para tratar de controlar a los demás).

Frases útiles...

"¡No es justo!", no funciona con usted
Su hijo quiere algo y usted le dijo que "No". El niño replica, ¡Oh, eso no es justo! con el tono de voz lastimero que siempre acompaña a esa frase. Usted responde, **"Es cierto. No es justo y de todos modos no lo vas a tener".**

Una alternativa, una confrontación más sensible, **"Cierto, la vida no es justa, así que acepta lo que te dije".**

Pautas para las familias mixtas

Respetar

- Aceptar que todos tienen sus propios sentimientos, pensamientos y prioridades.
- Cada miembro de la familia es una persona, no parte de "ellos" o "nosotros".

Aceptar

- Todos son parte de la familia y no hay excepciones y tampoco hay ninguna opción.
- Deje que todos expresen sus sentimientos y pensamientos directamente acerca de esto y de cada uno.

Esperar

- La conducta adecuada es fundamental: cortesía, afecto, cooperación, dirección, sin importar cuál sea la razón de la mala conducta.
- Si bien puede esperar cariño, espere sólo cortesía y que todos se esfuercen por resolver las dificultades.

Corregir

- Con estándares y límites marcados para todos en la familia, los adultos se encargan de asegurar que se cumplan. Esto es porque son adultos y es su trabajo, no porque son o no son "mamá" o "papá".
- Los adultos son libres de llamar la atención a la necesidad de corregir algo tanto en cada uno de ellos como en cualquiera de los hijos.

Actuar

- Los padres tienen que estar activos, tomar muchas iniciativas, de manera que los patrones útiles se refuerzan y los que no lo son se interrumpen. Esto aplica tanto a niños como a adultos.
- Hay que estar dispuestos a dar tiempo a todos a adaptarse. A veces lo mejor es esperar, pero tampoco hay que hacerlo demasiado tiempo.

6

Equilibrio entre trabajo y familia

¿Cómo podemos pasar suficiente tiempo con la familia y de todos modos salir adelante financieramente? Ésta es una pregunta muy importante para las familias de hoy. De alguna manera necesitamos lidiar con todas las presiones y tensiones que nos empujan en diferentes direcciones.

En este capítulo, presentamos algunos de los aspectos más significativos que hemos visto, de cada uno de los cuales puede hablarse mucho.

Presiones financieras

La labor de los padres es proveer financieramente a la familia. En la actualidad, muchos madres y padres comparten esta responsabilidad y ambos trabajan. Antes de la década de los 70, el patrón era que los papás trabajaran y las mamás se quedaran en casa. Naturalmente, esto significaba que la mamá estaba en casa para cuidar y atender a los hijos.

Hoy en día, los padres solos soportan pesadas cargas, como lo han hecho a lo largo de la historia. Las mamás solteras han optado, cada vez más, por quedarse con sus hijos y criarlos solas si los padres están ausentes. Éstos, también en mayor número cada vez, están participando en las tareas del hogar y asumiendo una responsabilidad primaria en la crianza de sus hijos, y muchas parejas tienen a sus hijos en edades mayores a como era antes, decidiendo esperar hasta que tienen más de 30 e incluso 40 años. Esto les permite comprar una casa, tener más estabilidad financiera y perseguir sus intereses laborales antes de que los hijos lleguen.

Estos nuevos patrones, evidentes en los 80 y más obvios en los 90, presentan a padres e hijos nuevos retos.

- Cubrir las necesidades financieras de una familia a partir de un empleo, del apoyo gubernamental u otro respaldo generalmente es un motivo de tensión o estrés importante. Los padres solos a menudo necesitan trabajar para pagar las cuentas.
- En muchas familias, el hecho de que los padres trabajen (un solo padre o los dos) significa que no estén en casa. "Los hijos encerrados" son numerosos y está aumentando la demanda de servicios de cuidado de niños.

- El precio de una vivienda y el pago de la renta ahora se encuentran en niveles elevados, y esto sucede desde los 80, en parte por las familias y parejas en que los dos salen a trabajar.

> Las presiones financieras en las familias son reales y demandantes.

Esto hace que la vida sea más difícil para las familias, en particular aquellas con un solo ingreso.

- Las familias mixtas enfrentan presiones financieras adicionales pues están formadas por miembros de por lo menos dos familias que se unen. Por ejemplo, Ella y Tino se casan, ella tiene dos hijos de su matrimonio anterior y Tino uno. Las presiones extra vienen de cubrir las necesidades de la familia extendida y de la manutención o la pensión de las parejas anteriores.
- Quienes esperan a tener hijos hasta que son financieramente estables, por lo general tienen ciertas expectativas respecto a conservar determinado estilo de vida. Están acostumbrados a tener más dinero, tiempo y libertad y otras comodidades que la vida familiar cambia. Luego, cuando bajan a un ingreso con el nacimiento de los hijos, tienen que hacer grandes ajustes.
- Después, también, están otros costos relacionados con el cuidado del hijo en sí.

Exigencias familiares

Los hijos necesitan a los dos padres. Otros adultos pueden hacer un trabajo estupendo, pero los niños sólo pueden ser nutridos de manera especial por sus padres biológicos. Juntos, estos padres biológicos brindan muchos ingredientes fundamentales para sus hijos. Por separado, cada uno proporciona algo único que sólo una madre o padre puede dar.

Un resumen de esto es el siguiente:

- A lo largo de los 21 años desde la infancia hasta la madurez, las necesidades de nuestros hijos cambian.
- Cuanto más pequeños son los hijos, más importantes somos nosotros para ellos.
- Las madres tienen, al principio, un mayor significado directo que los padres, pues los niños necesitan más de ellas que de ellos en los primeros tres a cuatro años.
- Los padres se van haciendo más importantes para los hijos poco a poco, y toma hasta que éstos tienen entre tres y cinco años para que se complete este proceso.
- El "peso de las demandas" de los niños de cuidados intensos va cambiando. Los primeros cuatro a cinco años es muy fuerte y, de alguna forma, la carga se va haciendo más ligera hasta que los chicos alcanzan los 13 años de edad.
- El "peso" aumenta de nuevo, de manera importante, de los 13 a los 17 años y luego vuelve a bajar a medida que llegan a la edad adulta.

Equiparada con la necesidad que tienen los hijos de sus padres está la necesidad de éstos de cuidar a aquellos. Tenemos un "imperativo primario" dentro que nos impulsa a cuidar y atender a nuestros hijos. Casi todos los padres lo sienten con fuerza. También lo vemos en aquellos hombres y mujeres a quienes se les niega el acceso a sus hijos a causa de una separación, divorcio, muerte o por cuidados externos. Las siguientes declaraciones de padres expresan aspectos de este imperativo de manera muy elocuente.

- "Se me parte el corazón al dejar a mi bebé cada mañana. Me siento muy mal, pero tengo que hacerlo, así que finjo estar bien".

- "Llego a casa del trabajo y trato de darles todo lo que necesitan de mí. Siento como un gran agujero que tiene que llenarse y que a mí me toca llenarlo. Pero sé que no puedo y siempre me siento presionado".
- "De veras extraño a mis hijos. Me voy antes de que se levanten en la mañana y ya están dormidos cuando regreso a casa en la noche. Conozco mejor su cabecita en la cama que cualquier otra cosa".

Nuestra necesidad de cuidar a nuestros hijos es tan fuerte como la necesidad que tienen ellos de nosotros.

Guarderías y centros de cuidados infantiles

Los centros de cuidados infantiles son, definitivamente, una buena opción desde nuestro punto de vista. Por nuestro deseo de dar a los hijos lo mejor, siempre preferimos el cuidado de los padres sobre el cuidado de otras personas. De cualquier forma, existen pautas y aptitudes que hay que tomar en cuenta.

Si tiene que recurrir a los cuidados externos, le sugerimos que observe lo siguiente:

- Algunas personas tienen que trabajar y no tienen opción.
- Algunos padres tienen problemas tan serios en sus relaciones con sus hijos, que el cuidado externo siempre es mejor.
- Los estándares de los cuidados infantiles varían, así que sea selectivo.
- Este tipo de centros o guarderías pueden ser maravillosos para el niño correcto y los padres correctos.
- Cuanto mayores sean sus hijos antes de iniciar en estos lugares, mejor van a manejar las cosas.

- Cuanto menos tiempo pasen en estos centros los niños cada semana, menos perjudiciales serían los probables efectos.
- Racione el tiempo que su bebé esté lejos de usted, porque las interrupciones importantes en el vínculo madre-hijo tienen efectos devastadores en él.
- Introduzca a su hijo a la guardería poco a poco.
- Prefiera parientes consanguíneos para cuidar a sus hijos sobre otras personas si hay alguien disponible.
- Prefiera el cuidado familiar diurno en comparación con las guarderías, si cuenta con esa ayuda.
- Asegúrese de que el centro de cuidados infantiles brinde un servicio de buena calidad y tenga un personal estable. Asegúrese de que una persona en particular, con experiencia y preparación adecuada, asuma la responsabilidad principal de su hijo, y vea que sea atenta, responsable, afectiva y estimulante.
- Trate de que sea la menor cantidad posible de horas en la guardería.
- De preferencia recurra a un solo centro de cuidados infantiles a la vez.
- Asegúrese de pasar una buena cantidad de tiempo con sus hijos cuando no estén en la guardería.
- Visite a su hijo inesperadamente de vez en cuando en la guardería, tanto para sorprenderlo como para ver la atención que está recibiendo.

> Nuestros hijos son muy delicados y nuestras joyas más preciadas. Cuando los deje al cuidado de otras personas, debe recordar ese valor. Debemos dedicar mucho tiempo y atención a valorar quién se hará cargo de ellos, de lo que dedicamos a la selección de un plomero o un mecánico automotriz.

Conocemos niños que les encanta la guardería y parecen sentirse bien recibidos y tratados en ella, y también tienen una sólida relación con sus padres, quienes generalmente dan máxima importancia a sus hijos. Los chicos que no funcionan tan bien en uno de estos centros están en segundo lugar en los intereses de los padres, como el trabajo y las actividades de ocio.

Las mascotas

Las mascotas son excelentes agregados de las familias porque prodigan amor y diversión y ofrecen una muy grata compañía. Algunos requieren mucho ejercicio, claro que siempre depende de la mascota: los peces dorados tienen su personalidad muy definida, por ejemplo, pero no salen a caminar.

Las mascotas representan muchas oportunidades de aprendizaje para nuestros hijos. Cuanto mayor el niño, más responsabilidad debe tener en el cuidado del animalito. Es la ocasión perfecta para que aprendan a "estar presentes" para una criatura que depende de ellos completamente. Al hacerse cargo de sus mascotas, los niños pueden aprender a ser amables, a dar órdenes, a hacer lo que es necesario todos los días y a tener un amigo que no es un ser humano.

Los adultos necesitan supervisar cada paso de esto, pues las mascotas requieren un compromiso de por vida, así que elija con cuidado. Busque el consejo experto para saber el impacto que la mascota tendrá en la vida de todos. La Sociedad Protectora de Animales o los lugares donde se adoptan mascotas pueden serle de utilidad.

Presiones laborales

Se espera mucho de los trabajadores en la actualidad; es muy común que la gente trabaje de 9 a 12 horas al día. Muchas personas que se autoemplean y muchos gerentes hacen esto con frecuencia. Lidiar con esta clase de presiones y equilibrarlas con las necesidades de nuestras familias resulta muy difícil a veces.

Si bien muchas cosas han cambiado en los últimos 10 años y los cambios son estimulantes, el mercado laboral poco toma en cuenta las necesidades generales de la gente, sin mencionar que las de los hijos, los esposos y las esposas, y la familia en general rara vez se toman en cuenta. Casi siempre se espera que el trabajador ponga el trabajo en primer lugar y a la familia en segundo. Están lidiando con tres influencias muy fuertes.

La seducción del trabajo

Cuando el trabajo es estimulante y satisfactorio, la gente disfruta la emoción, la realización y la alegría. Los verdaderos placeres están a nuestro alcance a través de trabajar con otras personas, hacer tratos o triunfar en las sociedades conjuntas. Los trabajadores pueden empezar a considerar al trabajo un lugar más agradable que el hogar si el tiempo que pasan en aquel los aleja de las alegrías de la vida en familia.

Compulsión

Algunas compañías lo establecen con toda claridad, "Si no puedes trabajar este número de horas, no podrás conservar el empleo. Tu trabajo aquí depende de que cumplas con eso". O, "Esperamos que trabajes tiempo extra cada vez que te lo pidamos. Los arreglos previos que tengan no cuentan en estos momentos". Cuando no se dicen las cosas directamente, las expectativas están claramente presentes en la forma de actos de administración. Sólo aquellos que son lo suficientemente valientes para arriesgar su empleo tienen probabilidades de destacar de la multitud en semejantes circunstancias.

Presión de grupo

Los colegas en el trabajo también presionan. Dicen cosas como, "Si no haces esto, estás abandonando a los compañeros". "Mira cuánto trabajamos todos y tú te vas a las cinco en punto" o "Nada más estás pendiente del reloj". O comentan esto mismo de otros compañeros para que usted escuche y le llegue el mensaje. Cuando alguien pide permiso para salir antes o llegar tarde por causas familiares, recibe regaños, gruñidos y malas caras.

Nuestros hijos y parejas sufren mucho por nuestra ausencia, y la salud también se resiente. Ahora sabemos que existe una relación directa entre el estrés y la mala salud, los accidentes y la muerte prematura. Las muchas horas de trabajo acumulan estrés en cualquiera. El cuerpo y el espíritu humano necesitan descanso y tiempo para hacer otras cosas además de trabajar.

Una prueba eficaz

Imagine que se encuentra usted postrado en su lecho de muerte, recordando su vida. Piense en lo que ha vivido hasta ahora, y haga una lista de las cosas que le gustan y de aquellas de las que se arrepiente.

En una ocasión, un sacerdote dijo a uno de nuestros amigos, "He estado junto a muchas personas que agonizan, y ninguna me ha dicho, "Lamento no haber trabajado más o no haber ganado más dinero", ni nada parecido. Todas dicen cosas como, "Siento que mis hijos hayan crecido sin que yo los conociera", "Ojalá le hubiera dicho a mi esposo (esposa/hijo/hija) cuánto lo amaba" o "Ahora me doy cuenta que mis prioridades estaban mal; era mucho más importante pasar el tiempo dando y recibiendo amor en casa y con los amigos, que compitiendo y ganando en el trabajo".

Demasiado tarde para ellas, pero no para nosotros. Todavía tenemos tiempo.

Consideraciones importantes

Se requiere tiempo y esfuerzo para crear y mantener a una familia, no ocurren nada más porque sí. Sólo porque la gente vive en la misma casa no significa que formen una unidad familiar funcional. Sugerimos que usted haga su vida de manera que, lo que le resulta importante, reciba toda la energía y concentración que necesita. No permita que el trabajo lo aleje de su pareja o de sus hijos. Éstas son algunas ideas:

- Dé a sus hijos más de usted, no los deje con el deseo de tener más. Usted es mucho más importante para ellos que un televisor, unas vacaciones o un juego de computadora, así que, quédense sin eso, o esperen un poco más.
- Busque el tiempo que necesita para manejar las exigencias de la familia y hacer lo esencial, y luego agregue tiempo para jugar, convivir y divertirse.
- Al planear su tiempo cada día, recuerde que las acciones más significativas en la familia ocurren durante el desayuno, a la entrada o a la salida de la escuela, en casa después de la escuela, en la cena y a la hora de ir a la cama.
- La infancia es muy breve. Aprovéchela lo más que pueda. Los años pasan volando y pueden desaparecer antes de que usted siquiera se dé cuenta de que se han ido.
- Haga arreglos en el trabajo que le permitan salir en caso de una urgencia con sus hijos.
- Dedique suficiente tiempo para estar con ellos. No hay sustituto para el contacto adecuado y compartir experiencias.
- Su familia le necesita con ella. Pregúntese si el dinero extra que recibe de trabajar más tiempo compensa su ausencia.

- Si el trabajo domina su vida familiar en este momento, piense en otras opciones laborales: un trabajo de tiempo completo con uno de medio tiempo; dos trabajos de medio tiempo; trabajo ocasional, arreglos de trabajo compartido, trabajo por turnos o un empleo en casa.

La familia que juega unida permanece unida

La diversión es un ingrediente muy importante para todos nosotros. Aligera el corazón, relaja el cuerpo, tranquiliza la mente y expande nuestro ser. Lamentablemente para muchos, las cosas serias pueden ser más importantes y nos olvidamos del hábito de divertirnos, nos olvidamos de hacerlo o no nos damos cuenta de la gran diferencia que puede marcar.

Éstas son algunas ideas de cosas que pueden hacer como familia:

- Ir al parque y subirse a los columpios.
- Tener un día de campo en el patio, en el parque, en la playa, en la piscina local o en el piso de la sala.
- Preparar pizzas juntos.
- Rentar un video o ir al cine.
- Salir a comer, ir de compras o a un lugar de entretenimiento familiar.
- Llevar comida a casa.
- Salir a caminar y conocer el vecindario.
- Ir de excursión, a nadar o a patinar.
- Ir de campamento o rentar una casa de vacaciones.
- Tocar música juntos o representar una obra como familia.
- Jugar juegos de mesa.
- Vestir sus mejores ropas y tener una cena con la comida favorita de cada quien.
- Ir al futbol o al beisbol.
- Patear una pelota, jugar baloncesto, voleibol o cualquier otro juego de equipo.
- Volar papalotes o salir a patinar.
- Contar chistes.
- Hacerse cosquillas.
- Organizar una noche con la familia.
- Construir casas de muñecas entre todos.
- Ir a galerías de arte o museos.

7

Trabajo en equipo

Para un padre y una madre que actúan en equipo, generalmente es más fácil la paternidad y más gratificante. También comparten más de su vida que de cualquier otra forma. Este capítulo presenta varias sugerencias para crear un equipo.

¿Qué es hacer equipo?

Lo primero en un equipo es coordinar los esfuerzos de todos. Hay que aprender a actuar como una unidad sola, no como individuos separados que tiran en diferentes direcciones. Para hacer esto, tenemos que hablar mucho entre nosotros.

En el equipo de los padres, el compartir es la orden del día. Reconocemos la responsabilidad compartida de criar a los hijos y deliberadamente nos involucramos en cada paso del proceso. Ya sea que actuemos juntos o solos, usamos nuestras metas y compromisos compartidos como una referencia continua para lo que hacemos. No vamos "solos".

> *Herman tiene el impulso de llevar a sus hijos al cine luego de recogerlos del entrenamiento del sábado. En vez de hacerlo, le avisa a Paulina para averiguar si ella no tiene planes para ellos esa tarde. Durante la llamada, coordinan sus tiempos para llegar a casa.*

Una pequeña lista de formas de promover el trabajo en equipo con su pareja es:

- Hablar con frecuencia de las prioridades y metas juntos;
- Convenir los roles de cada uno siempre que sea necesario especificando "quién va a hacer qué";
- Hacer compromisos mutuos sobre la acción que cada uno va a tomar;
- Respetar sus compromisos mutuos, a menos que las situaciones cambien inesperadamente y alguno tenga que actuar antes de ponerse en contacto con el otro;
- Consultar con su pareja antes de hacer algo que es diferente de los acuerdos y las charlas previos;

- Respetar sus intereses y responsabilidades compartidos como padres;
- Respetar sus intereses y responsabilidades individuales como padres;
- Expresar sus opiniones, percepciones, deseos, sugerencias y propuestas personales entre sí;
- Incluir a su pareja en la planeación y la toma de decisiones;
- Apoyarse mutuamente con los demás, incluidos los hijos;
- Elogiarse y apoyarse mutuamente todos los días;
- Hacer lo que sea necesario para resolver conflictos.

Dar lo mejor de todos

Cada uno tiene su propia contribución que hacer. Nuestras contribuciones son importantes y únicas, y necesitamos escucharnos mutuamente, hablar directamente entre todos para que haya algo importante que escuchar y encontrarle el valor a los puntos de vista expresados.

Philippe tiene problemas en la escuela. Luego de enojarse mucho con otro niño por estropearle su juego, Philippe lo insulta y lo empuja. Los padres discuten entre sí. La mamá dice, "Está bien que exprese sus sentimientos. No debió hacer nada". El padre comenta, "Él hizo algo malo y tiene que enmendarlo. Debe disculparse y reconocer que se equivocó". "Eres muy duro con él", responde la mamá. "Y tú siempre lo dejas salirse con la suya", replica él.
Después de hacer una pausa (Vea el capítulo 8, "Manejo del conflicto paterno") se sienten más tranquilos y se dan cuenta de que los dos tienen razón. Deciden animar a Philippe a expresar sus sentimientos y le dan

> *reglas muy claras sobre lo que está bien hacer cuando se enoje. Por ejemplo, puede hablar enojado, pero no insultar, empujar o golpear. Va a ir a la escuela al día siguiente con su madre, se va a disculpar con el otro niño y le va a decir lo que va a hacer si la situación vuelve a surgir. También tiene que hablar con la maestra y hacer cualquier cosa que no esté terminada y que ella tenga.*

Los padres también tienen una contribución combinada que hacer. Los niños aprenden mucho de su contacto con nosotros cuando estamos juntos, y actuar en esos momentos como equipo funciona muy bien. Hablar entre sí y actuar de manera consistente ahorrará muchas confusiones y peleas, ya sea que actuemos solos o juntos después de las charlas.

> *David y Josie tienen hijos gemelos. Cuando cumplieron cinco años de edad, ya sabían muy bien cómo provocar peleas entre sus padres. David y Josie encontraron una manera amorosa de manejar esto. Se irían a otra habitación a hablar y llegar a un acuerdo en su posición, volverían con el niño o los niños que se estuvieran portando mal y, parados tomados de la mano, dirían al mismo tiempo, "Vas a hacer... Ésta es* ***nuestra*** *decisión".*

Los esfuerzos paternos en equipo ofrecen mucho más como padres que hacer las cosas solos. Podemos compartir la carga, hablar de las cosas, apoyarnos, analizar, compartir nuestros pensamientos y sentimientos, motivarnos, cuidar lo que podemos hacer en aquellas cosas que nos cuestan trabajo, interrumpir las cosas para ayudarnos a aclarar las dificultades, protegernos mutuamente, agregar peso a nuestra posición de padres, unir nuestros

> *Recuerde siempre a* ***los tres: tú, yo*** *y* ***nosotros.***

esfuerzos, apoyarnos y estar en desacuerdo. Todo esto tiene sus ventajas y nos fortalece como padres.

Tener claros nuestros roles. Decidir qué va a hacer cada quién nos ayuda a conocer nuestros puntos fuertes y débiles. Sabemos cuando el otro necesita apoyo y cómo dar ese apoyo. También aprendemos a coordinarnos, tanto entre nosotros mismos como con los hijos. Considere la lista de actividades familiares comunes: llevar a los niños a sus compromisos deportivos después de la escuela y los fines de semana, contratar clases de música y vigilar que los hijos ensayen, dar oportunidades de tener un pasatiempo u otros intereses especiales, asumir la responsabilidad de cualquier programa correctivo o terapéutico que necesiten los niños, e ir a dejarlos y recogerlos, a ellos y sus amigos, en sus mutuas visitas. Obviamente, hay muchas cosas más y la coordinación es importante en cada una.

¿Cómo se pueden dejar en claro los roles? Varias preguntas pueden ayudar:

- ¿Cómo vamos a manejar esto juntos? ¿Quién va a hacer qué?
- ¿En qué somos buenos y cómo vamos a usar nuestras distintas habilidades?
- ¿Qué será lo mejor que cada uno puede hacer?
- ¿Cómo podemos apoyarnos mutuamente y aprender del otro?

Considere estos ejemplos.

- Uno de nuestros hijos comienza a desafiar a su padre, a quien le cuesta mucho trabajo manejar esta situación. Los deciden lidiar con esto junto. Cuando vuelva a surgir este problema, mamá va a apoyar a papá diciendo cosas como, "Escucha a tu padre", "Responde a lo que te acaba de decir tu padre"; o "A mí tampoco me gusta lo que estás haciendo, así que haz lo que tu padre te está diciendo".

- Una mamá se da cuenta que una maestra es particularmente apática con ella, pero parece ser más accesible con el padre. Los dos deciden que el padre abordará los asuntos importantes relacionados con su hijo con esa maestra.
- Se necesita hacer una profunda limpieza en casa, y usted organiza todo para hacerlo juntos, con cada padre asumiendo la responsabilidad de ciertas partes del trabajo. De igual forma, usted decide las diversas labores de cada uno de los hijos hará y quién será responsable de supervisar esas tareas.

Las actividades nocturnas

Francesca y Mario tienen una meta nocturna común: tener a los niños bañados, cenados y dormidos en la cama a las 8 de la noche. Uno de los hijos está en el preescolar y el otro acaba de entrar a la primaria. Los padres decidieron mutuamente quién va a hacer qué. Francesca cocina, pone la mesa, prepara la comida y la sirve y lava los trastes. Mario baña a los niños, les pone la pijama, juega con ellos antes de la cena, los entretiene y les cuenta un cuento antes de dormir. Francesca comienza su trabajo antes de que Mario llegue a casa del trabajo. Pasan cinco minutos juntos luego de que él llega antes de sentarse a comer. Luego de la cena, los dos tratan de terminar al mismo tiempo para poder pasar un tiempo juntos como pareja. Casi toda la semana esta coordinación funciona bien, pero se tienen que hacer arreglos especiales los miércoles porque Mario tiene que asistir a una reunión de ventas que generalmente se celebra tarde. Deciden que Francesca cocine más temprano los miércoles y que bañe y dé de comer a los niños y los lleve a la cama. Cuando todo esto termina, Mario llega a casa, toma su comida, lava los platos y recoge todo. El tiempo en pareja sigue en la agenda.

Reuniones del equipo

Reúnanse con frecuencia para hablar de la familia, cualquier tema vale la pena, y pueden variar desde asuntos generales como las instrucciones generales de familia, a cosas muy específicas para planear los eventos por venir. También tienen la oportunidad de hablar cómo están manejando las cosas entre sí y qué mejoras pueden ayudar a cada uno o a los dos.

De acuerdo con nuestra experiencia, las reuniones frecuentes son mejores. A algunos padres les gusta celebrarlas a determinada hora cada semana, incluso pueden marcarlos en sus diarios o agendas. Si bien a algunos padres les gusta la espontaneidad, hemos visto muchas ventajas en el hecho de hacer estas reuniones a horas establecidas.

El manejo de la familia se vuelve sistemático y planificado, en vez de fortuito y reactivo. Muchos padres valoran este enfoque. Algunos comentarios pueden ser:

- "Es bueno saber cuándo puedo hablar de algo".
- "Nuestra familia está mejor organizada ahora; antes era un caos".
- "Tenemos una mejor idea de las cosas que se tienen que hacer, como llenar las formas para ir de excursión, pagar las cuentas, organizar las vacaciones, hacer las citas con el dentista e ir de compras".
- "Antes de tener estas reuniones de equipo, parecía que siempre estábamos luchando por tener tiempo para hablar de los problemas que tenían los niños. Ahora no es así y resolvemos mejor las cosas".
- Ahora sabemos cuando vamos a hablar sobre estas cosas, ya no tenemos por qué asociar las actividades recreativas con cuestiones familiares".
- "Los niños saben mejor qué esperar de nosotros porque sabemos qué esperar de cada uno".

Hagan revisiones regulares

Le recomendamos que preste atención a los resultados que obtenga. Cuando las cosas funcionen, recuérdelo, y cuando no, también. Después:

1. Con toda intención repita lo que funciona (si funciona, no trate de arreglarlo o cambiarlo).
2. Si no funciona, modifique lo que está haciendo; busque consejo si no sabe qué hacer.
3. Siga prestando atención y cambiando lo que hace hasta que esté satisfecho.

Padres solos

Sugerimos que los padres solos busquen a otros en las mismas condiciones para unirse con ellos en un equipo de padres; a muchos les gusta reunirse para hablar de la paternidad. También puede encontrar a alguien que quiera o tenga un especial interés en sus hijos, pues esta clase de contacto puede ser tan valiosa como los co-padres que se reúnen. Pueden juntarse para ser padres en equipo. Pueden brindarse apoyo mutuamente y compartir la carga de los hijos de cada uno. Al principio tal vez parezca demasiado lograr organizarse, pero estas posibilidades sólo requieren un poco de persistencia y esfuerzo de nuestra parte para que las cosas funcionen.

Frases útiles...

Lo que hacen los otros padres.

Nuestros hijos dicen, "Eres muy estricto (limitante, injusto, conservador, controlador, desconfiado), los padres de mis amigos sí les dejan hacerlo". Se supone que debemos sentirnos incómodos y motivados a ser como esos padres; después de todo, qué pensarían esos padres de nosotros.

Decimos, **"Esos son ellos, nosotros somos nosotros. Te guste o no, mi obligación es cuidarte y asegurarme de que hagas lo que es bueno para ti".**

Y puede añadir, **"Los padres de tus amigos son responsables de tus amigos. No me parece bien que los dejen hacer eso, si lo que estás diciendo que les permiten hacer es correcto".**

Mensajes domésticos

Si lo tomaste, regrésalo a su lugar.

Si le pertenece a otra persona y quieres usarlo, pídeselo.

Si haces tiradero, recoge.

Si lo tomaste prestado, devuélvelo.

Si te parece valioso, cuídalo.

Si lo rompiste o descompusiste, dilo.

Si no sabes usarlo, pregunta a alguien o no lo uses.

Si no es asunto tuyo, no preguntes ni te metas.

Si lo vaciaste, vuélvelo a llenar.

Si lo abriste, vuélvelo a cerrar.

Si lo apagaste/encendiste, vuélvelo a encender/apagar.

Si lo abriste, ciérralo (apropiadamente).

8

Manejo del conflicto paterno

Los conflictos son oportunidades creativas para que la gente aprenda y comparta con otros. Aun cuando muchas personas creen que algo anda mal cuando hay conflictos y les preocupan las consecuencias, es una parte normal de la vida. En este capítulo haremos varias sugerencias sobre cómo responder creativamente al conflicto.

Diferentes estilos de paternidad

Con frecuencia los padres tienen formas diferentes de hacer las cosas, diferencias que pueden añadir una maravillosa riqueza a la vida de nuestros hijos. Cada estilo tiene ventajas que pueden contribuir en la crianza de un niño.

- Los padres pasivos con parejas muy activas pueden enseñar a sus hijos un equilibrio sano entre descanso y actividad.
- Las personas espontáneas y aquellos que piensan antes de actuar pueden enseñar a los niños a usar el pensamiento reflexivo para obtener lo que espontáneamente les atrae.
- Los padres que son expresivos, combinados con los que son más reprimidos pueden enseñar a sus vástagos a detenerse cuando es necesario y a continuar con el flujo cuando pueden hacerlo.

Podemos practicar el aprovechar nuestras distintas habilidades, a fin de que todos se beneficien. Esto es sentido común y vale la pena hacerlo. Sólo porque nuestros estilos son diferentes no significa que alguno esté mal. Hablamos un poco de esto en el último capítulo.

> Celebremos nuestras cualidades diferentes como habilidades y no nos critiquemos por ellas.

Todos podemos aprender de todos, basta con imitar la manera como el otro hace las cosas: copiar el tono de voz, la manera de hacer preguntas, las posturas, las expresiones faciales y las formas de tocar.

Mensajes para los niños
"Sí, no estamos de acuerdo en el momento; a veces la gente no se pone de acuerdo. Estamos tratando de resolverlo y tú puedes estar tranquilo; no tiene que ver contigo".

Lidiar con conflictos específicos

Sugerimos cuatro pasos a seguir cuando surja algún conflicto. A muchas personas les han parecido muy útiles. Esos cuatro pasos son buenos en conflictos entre adulto-adulto, adulto-hijo e hijo-hijo, aunque nos concentramos más en los conflictos entre padre y padre.

Cuando todos cumplan estos cuatro pasos, se sentirán satisfechos y no se habrán comprometido. Los pasos son:

1. Definir metas.
2. Encontrar ideas en las que estén de acuerdo.
3. Hacer pausas.
4. Persistir.

Definir metas

Iniciamos el proceso de resolución dejando en claro lo que cada uno quiere al final. Nuestras metas nos dan dirección y sentido a lo que hacemos a partir de entonces.

Para alcanzar nuestras metas, sugerimos que primero se hagan varias preguntas que les ayuden a enfocar su atención en los resultados que cada uno quiere.

- ¿Qué está sucediendo realmente?
- ¿Qué quiero cambiar?
- ¿Qué es lo que va a solucionar mi problema o a resolver este asunto para mí?
- ¿Cómo será la situación al final si obtengo lo que quiero?

Lo siguiente que hay que hacer es hablar de sus metas. El resultado final de esta charla es llegar a un acuerdo en metas comunes, y la mejor manera de hacerlo es establecer sus metas o escribirlas como descripciones de los resultados finales. Algunos ejemplos son:

- Los niños están en la escuela que creemos que es la mejor opción para ellos.
- Nuestra división de trabajo acordada ha hecho que sea más fácil y mejor irnos de vacaciones.
- Nos comunicamos bien y seguimos haciéndolo incluso cuando los niños tratan de provocar pleitos entre nosotros.
- Estamos de acuerdo en los arreglos para prestarle el auto a nuestra hija y la hora en que debe regresar a casa, y actuamos de manera cooperativa entre los dos.

No es necesario tener las mismas metas. Esto es importante y las situaciones en las que se aplica son muy comunes. La resolución viene de que cada uno obtenga algo diferente del otro. Por ejemplo:

- *Mamá:* Haber decidido a cuál escuela irán los niños.
  Papá: Haber hablado del asunto de la escuela cuando estaba alerta en el día, y no en la noche cuando ya está cansado y tiene sueño.
- *Papá:* Haber decidido quién es el mejor para hacer distintas labores.
  Mamá: Haber expresado su frustración sobre el tiradero en la casa, y saber que fue escuchada.

Concentrarnos en lo que queremos nos ayuda a mantenernos unidos, mientras que si nos enfocamos en lo que no queremos, nos separa.
Entonces, durante estas discusiones:

- Concéntrense en lo que usted y su co-padre quieren.
- Eviten prestar un exceso de atención a lo que cualquiera de ustedes no quiere.

Use sus metas

Tener claras nuestras metas como padres nos ayuda a mantenernos enfocados y en rumbo mientras hablamos. En cualquier momento podemos preguntar, "¿En qué forma lo que yo/él/ella está haciendo bien está promoviendo lo que yo/él/ella establece como meta? Si no es así, podemos cambiar lo que estamos haciendo; si es así, podemos seguir haciendo con confianza lo que estamos haciendo.

Por ejemplo, nuestra meta compartida es que hemos decidido quién irá a la tienda. Algunos comentarios quizás retrasaron un poco la resolución.

- "Siempre te enojas cuando no estamos de acuerdo".
- "Nunca se hacen las cosas como quiero".
- "Apenas supe anoche que ibas a querer pelear por algo".
- "Me voy a sentar aquí y no me moveré hasta que me dejes conducir".
- "Te pareces a tu padre cuando hablas así, y sabes lo que pienso de eso".

Algunas contribuciones pueden favorecer la consecución de la meta.

- "Me gusta que conduzcas, pero me preocupa que estés tan cansado".
- "Tú conoces el camino mejor que yo, así que tiene sentido que tú conduzcas".
- "Qué te parece si conduces de ida y yo de vuelta".

Compartir la misma meta puede dar lugar a una resolución porque estamos trabajando por un resultado. Cuando no compartimos nuestras metas, debemos generar dos resultados y, para hacer esto fácilmente, podemos decidir tomar turnos para decidir lo que vamos a hacer. El proceso no termina hasta que ambos están satisfechos.

Busquen puntos de acuerdo

La gente en conflicto que comienza por concentrarse en áreas de acuerdo, generalmente logra resolver las cosas más rápida y fácilmente, y mejor. Así que nosotros recomendamos que usted haga esto lo más pronto que pueda. A muchas parejas les parece más sencillo escribir o expresar en voz alta los puntos en los que están de acuerdo, ambas formas nos ayudan a enfocarnos productivamente en el lugar donde nos encontramos en armonía y podemos construir a partir de ahí.

Si seguimos concentrándonos en los puntos de desacuerdo, es muy probable que los aumentemos.

> Los acuerdos fomentan los acuerdos. Cuando los puntos de concordancia están aclarados, podemos extender el acuerdo de manera natural.

Hacer pausas

Estas pausas pueden marcar la diferencia entre el progreso continuo para lograr la resolución y el fracaso total. Las pausas son una forma especial de tomarse tiempo. Cuando estamos alterados y hay tensión, esas pausas nos dan libertad para hacernos cargo de nuestras propias cosas no resueltas para que no se sigan entrometiendo en nuestras discusiones. Lidiamos con los viejos registros que se están interponiendo en el presente.

Las pausas son muy sencillas. Para hacerlas nos concentramos en la conciencia física, quizás mientras caminamos o corremos, tal vez estando sentados, nos concentramos en las sensaciones físicas del cuerpo y en los eventos y cuestiones físicas del entorno. Prestamos atención a nuestras sensaciones, a lo que podemos ver, oír, sentir, saborear y oler a nuestro alrededor. (Hablamos más de esto en el capítulo 9, "Castigo").

Durante una pausa de este tipo, nos esforzamos por observar las cosas físicas de nuestra experiencia, haciendo a un lado todo lo que podamos, lo que sea que estemos sintiendo, pensando o experimentando. No se trata de que se detenga en esto, no. Hay que prestar particular atención a lo físico, además de todo lo demás que se experimente. Algunas veces ayuda salir a caminar, hacer ejercicio físico vigoroso o algo que nos guste, como ir al cine.

Los cambios que ocurren y los beneficios que se derivan de esto son realmente sorprendentes a veces. Las pausas nos ayudan a recuperar el equilibrio y resolver las dificultades internas. Muchas recompensas requieren un poco de práctica con el proceso, así que se lo recomendamos mucho.

> Las pausas ayudan cuando estamos repitiendo patrones viejos e inútiles, cuando no llegamos a ningún lado con nuestras discusiones o cuando nos sentimos demasiado molestos o con mucha carga emocional para ser razonables.

Pasos a seguir

Un patrón muy sencillo para darse pausas ayuda a tenerlas más fácilmente y con más probabilidades de generar buenos resultados.

1. Hagan un acuerdo general que:
   a. Si se quedan estancados en un conflicto, puedan darse una pausa.
   b. Cualquiera de los dos puede recurrir a estas pausas en cualquier momento.
   c. La pausa es, específicamente, para ayudarse a aliviar las cosas no resueltas que fueron agitadas por el conflicto.
   d. Antes de hacer la pausa, se ponen de acuerdo en una hora para hablar de cuándo van a continuar.

e. Si están listos cuando llegue ese momento, entonces continúan; si no, establecen otro momento.

2. Durante la pausa pueden hacer actividades compartidas o estar solos. Si están juntos, eviten hablar del conflicto. Elijan cualquier método que sea mejor para los dos.
3. Cuando regresen a la discusión, si van bien dentro de ella, sigan hasta terminar; si no, cualquiera de los dos puede tomar una pausa como antes.
4. Siga repitiendo la secuencia: Discusión -> Pausa -> Discusión -> Pausa, hasta que hayan resuelto completamente los asuntos relevantes.

> Durante una pausa, estamos listos para regresar a la discusión cuando nos damos cuenta de que aquello que nos tenía estancados ha cambiado, aunque sea un poco, y nos hemos calmado de alguna manera. Esto no significa que estén totalmente tranquilos, porque cualquier pensamiento en el conflicto, si no se ha resuelto, puede causar incomodidad.

Luego de la pausa, es muy probable que observen cambios. La manera como ahora ven las cosas, lo que sienten respecto a ellas o la inclinación que tenga hacia ellas pueden cambiar, y a veces de manera sustancial. Hemos descubierto que siempre hay alguna diferencia. Tomen en cuenta los cambios y, aun cuando no sean grandes, reconózcanlos entre sí cuando vuelvan a estar juntos, y luego reinicien la discusión.

Persistir

Aun cuando tome años, continúen con el proceso, y sólo deténganse cuando hayan resuelto todos los asuntos importantes; no se den por vencidos. Háganlo. Las cuestiones no resueltas tienden a acumular incomodidad en nuestros sistemas que luego puede salir en momentos inesperados o poco convenientes.

> *Cuando nos casamos, teníamos estándares muy distintos de limpieza. Si bien cada uno estaba cómodo con los suyos propios, Ken no lo estaba con los de Elizabeth. Él quería las cosas "más limpias". De igual forma, también veíamos de diferente manera las compras. A Elizabeth le encantaba recorrer vidrieras y aparadores, deleitándose con lo que había y pensando en las posibilidades que se abrirían con lo que ella pudiera comprar. Al principio a Ken no le gustaba ni un poco esta forma de ir de compras y lo evitaba a toda costa. En las dos áreas, ambos persistimos; no dejamos de expresar lo que era importante para nosotros. "De veras quiero que las cosas estén limpias y ordenadas" y "El hecho de que mire algo en la vidriera no significa que lo voy a comprar". Tuvimos razones para seguir el paso cuatro del proceso muchas veces, nos tardamos 15 años en resolver estas diferencias completamente y ha valido la pena cada minuto. En la actualidad, Elizabeth es "limpia" y Ken está feliz todos los días; de igual forma, a él "le encanta ir de compras", lo que ella realmente disfruta, e incluso él de repente se va de compras solo.*

Sabemos que hemos resuelto nuestros conflictos cuando los dos estamos contentos, sin importar si conseguimos nuestros objetivos originales o si los cambiamos. Si sucedió esto último, aceptamos totalmente las cosas con las que estamos de acuerdo, sin comprometernos.

Resolución sin compromiso

Para resolver un conflicto, necesitamos estar dispuestos a llegar a un acuerdo, y esto tiene que ver con una mutua disposición a cambiar de postura, perspectivas o principios, y tal vez necesitemos desprendernos de una postura actual para hacer estos cambios. "Está bien, juro que no dejaré que mis hijos vayan a una escuela como ésa, pero lo que estás diciendo no tiene sentido, los tiempos han cambiado",

De igual forma, sólo hemos tomado una verdadera resolución cuando en realidad hemos hecho un cambio interno. Los cambios no son reales si no nos comprometemos a hacerlos.

Por lo tanto, evite cambiar antes de entender que el cambio es bueno para usted, y evite resistirse sólo porque sí. No continúe por el gusto de ganar ni renuncie por terminar las cosas y buscar la paz.

Ustedes sabrán cuándo el cambio es real porque sentirán que es correcto, verán las cosas de manera diferente y encontrarán un significado diferente en la situación. Es necesario no tener dudas ni sentir tensión por el cambio, aunque es probable que siga sintiendo incomodidad sobre lo que a usted le toca hacer como resultado de cambiar.

Todo esto puede tomar tiempo, pero, aunque así sea, todos podemos lograr la resolución sin comprometernos, y los resultados lo valen.

Valor en el conflicto

El conflicto es una oportunidad de acercarnos y un intercambio de opiniones. Nos da la oportunidad de que todos los involucrados den su punto de vista y sean escuchados. En el proceso, la gente puede traer a colación y analizar áreas de acuerdo o desacuerdo importantes. Por lo general se siente una reciprocidad nueva y fructífera a través de nuestra exposición profunda a los demás.

Consejos para manejar el conflicto

Hemos descubierto que lo que presentamos a continuación es útil para perfilar y acelerar la resolución de un conflicto.

Respétense mutuamente en su forma de hablar y comportarse. Acéptense uno al otro, sus opiniones, sus sentimientos, sus intenciones. Digan a su pareja lo que les gusta de ella o de lo que hace. Eviten insultarse: "tonto", "estúpido", etcétera. No generalicen con expresiones como "Tú siempre", "Yo nunca", "Todo el mundo", "Nadie".

Usen frases que lleven el pronombre "Yo" y eviten el pronombre "Tú". A casi todos les resulta fácil responder a una frase que tiene un "Yo" incluido porque se está hablando de uno mismo, mientras que las que hablan de "Tú" generalmente son acusaciones, suposiciones o definiciones de los demás. Si se usan en medio de un conflicto, estas frases añaden fuego a la hoguera y no promueven la calma, ni la cooperación.

Ejemplos de frases con el pronombre "Yo":

- "Yo creo...", "Yo pienso..." o "Lo que yo entiendo es que..."
- "Me gusta/no me gusta...", "Yo quiero/no quiero..."
- "Yo estoy de acuerdo/no estoy de acuerdo con..."
- "Yo hago/hice..."

Ejemplos de frases con el pronombre "Tú":

- "Tú crees...", "Tú piensas..." o "Tú percibes que..."
- "Te gusta/no te gusta...", "Tú quieres/tú no quieres..."
- "Tú estás de acuerdo/tú no estás de acuerdo con..."
- "Tú haces/hiciste/harás..."

Creen señales de alerta mutua para manejar los problemas. Casi todos tenemos cosas que hacer generalmente que crean dificultades a nuestras parejas y otras personas. Podemos usar señales especiales que nos interrumpan o detengan cuando empecemos a actuar así. El proceso es muy eficaz y puede resultar bastante divertido.

Las señales pueden ser relevantes, irrelevantes, graciosas, inteligentes, simples. No importa qué señal sea, siempre y cuando llame su atención y le impulse a actuar de manera diferente.

Recuerde que asegurarse de que la señal funciona es su responsabilidad, no de sus padres. Usted tiene que decidir una señal que note y también que va a usarla para cambiar lo que está haciendo si quiere que el sistema trabaje. Algunos ejemplos son:

- decir algo como, "Creo que lo estás haciendo", "¿Estás en eso?" o "Ahora te ves como me dijiste que te dijera";
- hacer algo que se note como, ponerse un sombrero, pellizcarle la nariz a la otra persona, hacerle cosquillas, aplaudir tres veces, servir el té en una taza en particular o lanzar chocolates a la habitación cuando llegue.

Apóyense mutuamente con frecuencia. Si está usted de acuerdo, demuéstrelo abiertamente. Exprese su reconocimiento por el trabajo bien hecho, por recuperar la compostura, por cumplir los acuerdos, por avanzar en las áreas difíciles. Creen "cuentas bancarias" de aprecio y apoyo. Luego, cuando las cosas se pongan difíciles, pueden recurrir a ellas para mantener la buena voluntad.

Si no está de acuerdo, dígalo abiertamente. Es normal estar en desacuerdo con los demás, y si lo expresamos de manera directa, estamos abriendo el camino para resolver lo que queremos hacer.

Está bien diferir en frente de los niños. Los hijos saben cuando no estamos de acuerdo, así que de nada sirve fingir lo contrario. Discrepar frente a ellos les enseña que podemos estar en desacuerdo y resolver esos desacuerdos. Los niños cuyos padres ocultan sus desavenencias, retienen esta clase de aprendizaje de sus propios hijos. Nosotros recordamos a una familia en la que se exhortaba a todos a "ser agradables" unos con otros. Cuando se les preguntó cómo resolvían el conflicto ella y su esposo, la madre dijo, "Oh, nos encerramos en nuestra recámara y nos reclamamos mutuamente".

9

Aterrizar

El aterrizar es una buena herramienta cuando los hijos y los jóvenes están enojados o alterados, pues les ayuda a calmarse y entrar en contacto con lo que está pasando, a fin de que puedan manejarlo. Al mismo tiempo, pueden seguir sintiendo y pensando, lo cual es muy importante.

¿Qué hace?

Aterrizar con cierta regularidad, generalmente hace que los hijos se vuelvan equilibrados, responsables, energéticos y conscientes. Esto también ayuda a eliminar la ansiedad, porque no es posible estar aterrizado y ansioso al mismo tiempo. Como adquieren conciencia de lo que hay adentro y afuera, casi siempre tienen puntos de vista de la situación más realistas.

Cuando se les aterriza, los hijos se sienten más tranquilos, equilibrados, alertas y relajados. El proceso de aterrizar produce dos resultados muy buenos: ayuda a disolver y liberar la incomodidad, y también contribuye a aumentar el confort y el placer mientras se extiende por todo el cuerpo. Lo más importante es que hace que nuestros hijos estén más accesibles a nosotros, lo cual es mágico.

Lo básico

Cuando hacemos que nuestros hijos aterricen, los obligamos a prestar atención a lo que está sucediendo físicamente. Lo básico es hacer que se concentren en conciencia física, en lo que está sucediendo en el interior de su cuerpo físicamente, y en lo que hay alrededor de ellos. Esto significa dos cosas:

- Reconocen sus sensaciones físicas: calor, frío, apretado, suelto, brillante, oscuro, estridente, callado, fragrante o apestoso, y se dan cuenta en qué parte del cuerpo tienen esa sensación.
- También observan las cosas y los eventos físicos alrededor de ellos a través de los cinco sentidos: lo que pueden ver, oír, tocar, saborear y oler.

Y no hacen ningún esfuerzo en todo esto. Estar castigados (sin salir a la calle) es algo que los seres humanos están diseñados a hacer de manera natural.

Mensajes para los niños
"Cuando estés enojado, trata de sentir tus pies en la tierra".
"Estar aterrizado te ayuda a pensar con claridad".
"Recuerda aterrizar cuando tengas algo difícil que hacer".

Diversas formas de aterrizar

Podemos usar el aterrizar desde el momento en que los niños comienzan a entender las palabras. Siempre que están castigados tienen una conciencia desbalanceada de lo que está ocurriendo, se concentran en sus sentimientos y molestias o en las cosas, situaciones y sucesos a su alrededor. La manera de manejar esto es darles instrucciones simples que les ayuden a corregir ese desequilibrio.

Por ejemplo, imaginemos que los niños están molestos. Están bastante conscientes de lo que sucede en su interior; tal vez se sienten tristes y lloran, o enojados y gritan, con miedo y no son responsables de lo que están diciendo, o algo parecido. O quizás están felices y nerviosos de emoción. No necesitan ayuda para darse cuenta de esto, pero sí necesitan ayuda para observar lo que hay afuera. Éstas son algunas cosas que puede usted decir:

- "Pon los pies en la tierra", si están de pie.
- "Siente el lugar donde estás sentado", si están sentados.
- "Mírame a los ojos y veme realmente", y señale a sus ojos.
- "Mira para allá (señale algo). ¿Qué ves?", y espere una respuesta.
- "Escucha lo que te estoy diciendo. ¿Qué te acabo de decir?"

- "¿Estás escuchando que (diga algo)?".
- Si usted dice algo y ellos no escuchan, diga, "Te lo diré otra vez y escucha lo que estoy diciendo". Repítalo, haga una pausa y diga, "¿Qué dije?"
- "Tómelo de una mano o de un brazo y diga, "Estoy aquí, así que presta atención".
- Tome su mano y diga, "Ven conmigo. Vamos a caminar para que me digas qué está pasando". Mientras salen a caminar, los chicos tienen que darse cuenta del entorno exterior.
- Tome su mano y diga, "Ven acá, siéntate en mis piernas y dime qué pasa".
- Pregunte, "¿Qué pasa?", o diga, "Dime que ocurre".
- Pregunte, "¿Qué sientes en este momento?", y luego pregunte, "¿En dónde lo sientes y cómo se siente?".
- Pregunte, "¿Qué piensas en este momento?", y luego pregunte, "¿Dónde sientes eso en el cuerpo y cómo se siente?"
- Pregunte, "¿Qué sensaciones tienes en el cuerpo en este momento?"
- Diga, "Pon atención a lo que está sucediendo aquí. ¿Qué ves?" Haga una pausa. "¿Qué es ese sonido?" Pausa. "Siente esto", y entrégueles algo o toque algo que esté al alcance de ellos. Pausa. "¿Percibes algún olor (o mencione algo en particular)?" Pausa, "¿Sientes algún sabor en la boca?" Puede usted hacer todo esto y sólo una o dos cosas, en particular si las primeras funcionan pronto.

Esta forma de actuar está diseñada para ayudar a los niños a tomar conciencia de lo que hay afuera. La idea no es distraerlos de lo que están sintiendo, sino ayudar a que la energía que provoca su excitación o molestia fluya de la mejor manera para ellos. Cuando se les aterriza, los hijos generalmente se expresan con más facilidad y llegan a una resolución tranquila mejor que cuando no están aterrizados.

Los niños y los jóvenes a veces también se concentran demasiado en lo externo; en esos momentos, están conscientes de lo que sucede a su alrededor, se olvidan de sí mismos y de sus sentimientos. Por lo general hacen esto cuando están muy alterados (entusiasmados) o enojados y no dejan salir la molestia (o el sentimiento). La manera como se maneja esto es llevarlos a prestar atención a sí mismos. Se puede hacer esto:

- Primero debemos detener las acciones. Podemos acercarnos y tocarlos, o tomarlos de la mano para atraer su atención, o llamarlos para que ellos se acerquen a nosotros. Pronunciar el nombre del niño es buena idea, porque lo que decimos generalmente tiene más impacto cuando hacemos eso. Compare lo siguiente: "Ven acá un momento", con "Andrew/Sarah, ven acá un momento".
- Una vez que tenga usted su atención diga, "Ahora, quédate quieto y siente los pies en la tierra". Hacer que se queden físicamente quietos es una parte importante de esto, porque su agitación o emoción es parte del dejar de prestar atención al interior. Y luego diga, "Tranquilízate y siente los pies en la tierra". Cuando se dé usted cuenta de que están más calmados, diga, "Está bien, ahora continúa sintiendo los pies en la tierra". Algunos de nuestros hijos responderán más rápido haciéndolos que vean, escuchen, prueben o huelan algo. Elija lo que funcione.
- Cuando estén tranquilos y quietos, pregúnteles que sienten dentro de ellos. "¿Qué sientes?", "¿Qué estás pensando?", o "¿Qué sucede dentro de ti?" Si no pueden conectarse con nada, haga preguntas específicas que guíen su atención: "¿Qué sientes en la panza?", "¿Sientes algo en el pecho?", o "¿Tienes las piernas frías

o calientes?" Cuando comiencen a prestar atención a su interior, las cosas van a cambiar y ellos se tranquilizarán o comenzarán a hablar de lo que están experimentando.

- El siguiente paso es dar instrucciones, hacer sugerencias y/o pedirles que tomen una decisión sobre lo que hay que hacer. Lo que usted haga dependerá de las edades y los asuntos involucrados.

Ejercicio de aterrizaje

Observe lo que sucede físicamente en su cuerpo en este momento. ¿Qué sensaciones hay y en dónde? Si no nota "nada", dese cuenta de que ese "nada" es una sensación. Preste atención un momento a lo que siente en cualquier parte del cuerpo y hágalo durante un minuto.

Ahora, preste atención a lo que sucede a su alrededor. Observe lo que le rodea, escuche los sonidos, estírese y toque algunas cosas, notando las texturas y temperaturas de lo que toca. También observe si tiene algún sabor en la boca o los olores del entorno. Hágalo durante un minuto más o menos.

Ahora, háganlo los dos juntos: observe el interior y el exterior. Si no le resulta fácil, háganlo uno después del otro. Háganlo repetidas veces, con el interior y el exterior, un rato. Háganlo un minuto también aproximadamente.

Ahora, observen cualquier diferencia en lo que están experimentando. ¿Están más tranquilos, más relajados, más alerta, los sentimientos son más intensos? ¿Qué ve que ha cambiado?

El movimiento ayuda

Cuando los niños no están aterrizados, por lo general ayuda que se sintonicen con su interior y exterior si los hace moverse; por ejemplo, podemos pedirles que salgan a caminar, a correr, a dar una vuelta en bicicleta o a nadar. Seleccione una actividad que los anime a sentir sus cuerpos y que también les haga prestar atención a lo externo. El movimiento no es útil cuando ya están físicamente activos, agitados o apresurados.

Hijos mayores y gente joven

Cuando conocen los trucos del oficio, por lo general no necesitamos seguir todo el proceso con lujo de detalles, aunque, en momentos de gran desafío, podemos tener que recordarles hacerlo con un comentario como, "Pon los pies en la tierra"; casi siempre basta con decirles, "Haz un alto y pon los pies en la tierra".

Muchos usos

El proceso se vuelve parte de la manera de afrontar las cosas todos los días. Sea lo que estén haciendo, pensando hacer, el aterrizaje les ayudará a hacerlo con más facilidad y eficacia. Se convierte en una forma fácil y eficaz para ellos de manejarse, por ejemplo, para:

- Resolver molestias específicas (discusiones, decepciones)
- Anticipar el futuro (ir a algún lado, próximos exámenes)
- Lidiar con desafíos actuales (presentar exámenes, hablar con la maestra)
- Soltar el pasado (viejas discusiones, experiencias atemorizantes)
- Aumentar el disfrute (ver películas, tranquilizarse con el novio o la novia)

Los padres también aprenden

¿Por qué dejar que los niños tengan toda la diversión? Nosotros también podemos aprender y es muy fácil. De hecho, una de las formas más fáciles de enseñar esto es hacerlo nosotros; luego, cuando nuestros hijos se pongan muy difíciles, podemos usar el aterrizar para mantener nuestro propio equilibrio, seguir pensando con claridad y actuar de manera eficaz. Imaginamos que esto sería un evento raro en casi todas las familias, ¡desde luego!

El aterrizar funciona en grupos

Jenny, una maestra de escuela primaria, aprendió a aterrizar, y descubrió que era tan bueno que decidió probarlo con sus alumnos.

A los chicos les encantó y se lo pedían siempre que sentían necesitarlo, además de que se recordaban unos a otros hacerlo cuando alguien estaba molesto. La clase era famosa por ser un grupo feliz y asentado. Los niños aprendieron bien esta técnica y los padres pedían que sus hijos tuvieran a Jenny como maestra.

Grabación en audio

Hemos generado una forma de registrar el proceso (llamada "Meditación de aterrizaje") que explica la manera como funciona y cómo hacerlo. Cuando nuestros hijos lleguen a los cuatro a seis años de edad, podemos poner la grabadora en el fondo para ayudar a que todos aterricen bien. Los niños y los jóvenes toman el proceso bastante bien y con frecuencia piden que se grabe cuando sienten que las cosas son difíciles pero quieren ellos hacerse cargo de ellas. (Vea "Biame Network" en la página 148 para conocer detalles sobre el contacto).

Qué hacer cuando siente que pierde el control

Muchos padres enfrentan esto. Sentimos que la intensidad aumenta por dentro y nos cuesta trabajo actuar con calma y de manera segura con nuestros hijos. Estos son momentos en que los padres pueden ser abusivos, sacudir, golpear y lesionar a sus hijos.

Los niños son lastimados por padres que actúan de estas formas; entonces, ¿qué podemos hacer?

Tres pasos muy sencillos pueden ayudar:

1. Detenerse y aterrizar.
2. Alejarse.
3. Hablar con alguien lo más pronto que pueda.

Detenerse y aterrizar

Deje de hablar y de moverse. Manténgase quieto y aterrizado. Por lo general es mejor sólo notar que sus pies pisan el suelo, lo cual a menudo le ayudará a tranquilizarse y a actuar de manera apropiada.

Alejarse

Si sus sentimientos son muy fuertes y usted no está seguro de controlarse como debe, aléjese físicamente de manera que no pueda tocar a su hijo. Si el pequeño es un bebé de brazos, con cuidado déjelo en un lugar seguro y luego aléjese. Si es necesario, váyase a la habitación contigua o siéntese en otro lado hasta que se calme lo suficiente para volver a atender con cuidado a su hijo. Cuán lejos puede ir lo dicta el garantizar la seguridad de su hijo. Si hay alguien más ahí que sea competente para hacerse cargo, pídale que lo haga.

Hable con alguien lo más pronto que pueda

Llame a alguien para desahogar sus sentimientos y tranquilizarse: un amigo, sus padres, un hermano o hermana, su médico o una trabajadora social o una línea telefónica de ayuda. Haga esto tanto para lidiar con la situación inmediata como para recibir ayuda de largo plazo si la necesita. Luego regrese y siga atendiendo a su hijo. Si necesita tomarse más tiempo, haga arreglos para que otra persona se encargue de su hijo hasta que usted esté listo.

10

Relajación

La relajación es importante para todos, incluidos nuestros hijos. Nosotros usamos una técnica de relajación muy sencilla que puede enseñar a sus hijos desde una edad temprana. Le servirá de mucho para ayudarles a hacer un alto cuando lo necesiten y para dormir también. También desarrollamos una para los bebés.

La técnica

Mayores de 18 meses

Con los niños de más de 18 meses de edad, el enfoque que seguimos es el siguiente y tiene cuatro pasos sencillos:

1. ***Aterrizaje:*** Haga que sus hijos presten atención en lo que los está apoyando para que sientan el suelo bajo sus pies (si están parados), la pared en sus espaldas (si están apoyados), la silla debajo de ellos (si están sentados) o aquello en lo que estén recostados (si lo están).
2. ***Respiración:*** Haga que presten atención a su respiración. Anímelos a permanecer relajados y enfocarse en cómo entra y sale el aire de sus pulmones. Incluso usted puede respirar con ellos un rato, sólo para demostrarles lo que les está enseñando, pero recuerde que su respiración sea relajada si lo hace.
3. ***Soltar:*** Haga que exhalen poco a poco. Obsérvelos y véalos exhalar; puede decirles, "Ahora, suéltate, relájate. Deja que tus músculos se relajen, permanece en quietud, déjate ir". También usted puede tomar una respiración profunda e invítalos a hacer lo mismo, para luego exhalar de una manera exagerada, dejando que su cuerpo se suelte mientras lo hace. Esto les enseña lo que deben hacer de una manera que pueden imitar.
4. ***Persistencia:*** Regrese a los primeros pasos, si se da cuenta que el niño no aterriza o no se concentra en la respiración. Continúe, particularmente con el Paso 3, todo el tiempo que sea necesario.

Tiempo

Podemos hacer la relajación en cuestión de segundos.

- Denise está a punto de hacer algo y está un poco inquieta por eso. Necesita una relajación rápida para tranquilizarse. Diga, "Denise, detente un momento". Cuando la niña lo haga, diga, "Siente el suelo bajo tus pies". Al hacerlo, diga, "Bien. Ahora, presta atención a tu respiración". Cuando vea que hace esto, diga, "Bien, sigue concentrada en tu respiración". Luego de unas cuantas respiraciones, diga, "Muy bien. Ahora, respira profundo y mientras exhalas, suelta todo tu cuerpo". Tal vez usted pueda exhalar con ella y luego diga, "Bien. ¡Ya estás lista!

O podemos hacerlo un tiempo mayor

- Jean-Claude está tratando, sin éxito, de dormir. Usted entra a su cuarto, se sienta en la cama a un lado y le guía por los cuatro pasos. Hable lentamente y con las pausas necesarias, "Está bien, ahora abre los ojos y mira a tu alrededor, escucha todo lo que puedas escuchar, siente la cama debajo de ti y las sábanas que tienes encima, observa cualquier olor que percibas. Cierra los ojos y sigue escuchando los ruidos y sintiendo la cama. Muy bien". (Deje que haga esto un minuto más o menos). "Ahora presta atención a tu respiración, cómo entra y cómo sale". "Ahora. Cada vez que exhales, relájate. Cada vez que exhales, suéltate. Es muy fácil y lo estás haciendo bien. Sigue relajándote cada vez que exhales". (Hágalo unos minutos, también, no es necesario hablar todo el tiempo). "Ahora, mientras te relajas, puedes quedarte dormido cuando lo necesites. Sólo sigue relajándote cada vez que exhales y deja que llegue el sueño cuando esté listo". (Si tiene un "botón del sueño", oprímalo en este momento, luego levántese usted y salga en silencio).

Menores de 18 meses

Los bebés también necesitan relajarse a veces. A veces están muy inquietos y no parecen poder soltarse. Como sabemos que la mamá tiene mucha influencia en ellos, desarrollamos una forma de ayudar a los bebés a relajarse si ayudamos a sus mamás a hacerlo. Los papás también pueden hacerlo. También son cuatro pasos.

1. ***Aterrizar:*** Tome a su hijo en sus brazos, sin importar si está usted parado, sentado o acostado. Cuanto más cómodo esté usted y mayor apoyo físico tenga, mejor. Aterrice prestando atención al contacto de su cuerpo con lo que lo está sosteniendo; al mismo tiempo, observe el contacto con su bebé. Sólo acepte su movimiento y siga concentrándose en su propio aterrizar.
2. ***Respiración:*** Observe su respiración un rato, prestando atención al aire que entra y sale unos minutos.
3. ***Soltar:*** Cada vez que exhale, relájese deliberadamente. Conscientemente suéltese y libere todo cada vez que exhala. ¡Por supuesto que no va a soltar a su bebé! Mientras sigue respirando y relajándose así, su bebé seguramente comenzará a tranquilizarse también. Esté pendiente del pequeño mientras sigue soltándose usted con cada exhalación. Siga recordándose mantenerse aterrizado.
4. ***Persistir:*** Siga haciendo esto, regresando al primer o segundo paso como lo necesite, hasta que los dos estén relajados y tranquilos. Ésta podría ser una buena forma de quedarse dormidos juntos.

Escuchamos esta historia de una mamá sorprendida.

> *"El otro día me acosté sola para relajarme. Joel estaba muy ocupado como para acostarse, pero necesitaba descansar. De cualquier modo, mientras yo estaba relajándome, lo seguía sintiendo y pensando en él. Cuando llegué a la parte de la respiración, él comenzó a tranquilizarse. Yo tenía los ojos cerrados, así que no vi lo que estaba haciendo. Pero un minuto más o menos*

lo sentí junto a mí. Luego se subió sobre mí y se quedó dormido con la cabeza en mi abdomen. Descansamos maravillosamente".

Mensajes para los niños
"Cálmate". "Toma una respiración profunda y exhala lentamente". "Relájate". "Tranquilízate"

Los resultados

Los tres resultados más obvios de la relajación son que ayuda a tranquilizar a las personas, produce una felicidad generalizada y les permite descansar. Además, los niños que están ansiosos y dudan de sí mismos, pueden adquirir seguridad y confianza.

Grabaciones de audio

Hace muchos años hicimos una meditación grabada. Usarla con los niños de casi todas las edades nos permite ponerla y dejarlos que ellos la hagan. Se ha usado en los jardines de niños, así que los pequeños de pocos años la hacen fácilmente.

Con el uso regular, hemos sido testigos de cambios con la ansiedad crónica, la depresión, la inseguridad, los "ataques de pánico", el dolor constante y la mala salud. Además, muchos niños hiperactivos, con ADD o ADHD han cambiado notablemente al usar esta cinta.

Una grabación similar es la "Meditación del Lazo Amoroso" que es para que los padres la usen con los niños hasta de 18 meses de edad. Es relajante y revigorizante tanto para padres como para bebés.

(Vea "Biame Network" en la página 148 para más detalles).

11

Reuniones familiares

Las reuniones familiares seguidas marcan una maravillosa diferencia en muchas familias, pues ayudan a lograr cosas como familias de manera más sencilla que cualquier otra cosa.

Reunir a la familia

Básicamente, la idea es reunirse con cierta frecuencia toda la familia. Las siguientes recomendaciones generales han funcionado bien para muchas familias; nosotros sugerimos que usted las tome en cuenta y haga las suyas si éstas no parecen ser adecuadas para ustedes.

- Elijan una hora en que todos puedan estar presentes.
- Procuren tener las reuniones por lo menos una vez a la semana.
- Háganlas obligatorias para todos (incluidos los miembros de la familia extendida que viven en el mismo lugar y las visitas).
- Que un padre sea el que presida la reunión, quizás rotando con el otro de vez en cuando.
- Háganlas lo más breve o largas que sea necesario.
- Que estas reuniones sean separadas de las de entretenimiento.
- Comiéncelas a partir de que su hijo mayor tenga unos dos años.
- Haga que todos hablen, no importa lo simple que pueda ser.
- Los padres tienen el control de la reunión, aunque los niños pueden tener tareas especiales que hacer para la misma, incluido ser el que preside, cuando tengan edad suficiente.
- Mantenga la charla práctica y relacionada con resultados también prácticos.
- Haga una lista de temas para cada reunión. Los niños con edad suficiente pueden asumir la responsabilidad de prepararlos.
- Haga que cada miembro diga por lo menos algo afirmante y amistoso a los demás.

- Anime a los "callados" de la familia a decir algo y a los "activos" a controlarse para dejar que los demás hablen.

Las reuniones familiares pueden servir para muchos fines. Pueden ser principalmente administrativas y sugerimos lo siguiente para hacer en ellas:

- Llevar un registro de tareas particulares y cómo van las cosas en la familia en términos generales;
- Planear las labores y decidir quién las hará;
- Resolver el manejo básico de la casa;
- Animar a todos en general y recompensar a los que tienen un buen desempeño;
- Identificar problemas y encontrar soluciones; esto quizá involucre cuestiones emocionales;
- Analizar las decisiones previas para asegurarse de que lo que se ha planeado esté funcionando;
- Dar las gracias a cada uno por sus contribuciones cuando las hagan;
- Reunir ideas acerca de las propuestas;
- Compartir información.

Buenos resultados

Muchos buenos resultados pueden surgir de estas reuniones.

- Subrayan la importancia de la unidad familiar como unidad. La familia es algo más que una colección de individuos que viven en la misma casa.
- Dan a la familia la oportunidad de hacer cosas de manera sistemática.
- Los niños generalmente se sienten más seguros porque ven que estamos atentos, observando, monitoreando y haciendo cosas.

- Los niños aprenden a participar en tareas compartidas, a hablar de ellas, a resolver dificultades, a tomar decisiones de grupo, a pensar en la familia como un todo y muchas otras cosas.
- Todos aprenden a negociar y cooperar entre sí.
- Las reuniones ponen énfasis en la contribución que cada miembro de la familia hace y brindan un lugar para que esa contribución sea reconocida.
- Todos los miembros tienen la oportunidad de aprender a resolver las cuestiones emocionales entre sí, en parte al observar a los demás hacerlo y en parte haciéndolo ellos mismos.

Por lo general todos se benefician y aprenden tanto de estas reuniones que hacen que valga la pena cualquier esfuerzo que hagan.

12

Tiempo en pareja

Los padres son personas. Somos esposos, esposas, amantes, amigos o adultos solos. Somos mucho más que padres y madres. Ya sea que vivamos solos o con otros adultos, tenemos necesidades y deseos como adultos que no pueden satisfacerse a través del filtro de las actividades familiares. Debemos responder específicamente a estas necesidades si queremos cubrirlas.

Cuando vivimos en pareja, tenemos la oportunidad de darnos tiempo para estar juntos cada día como pareja.

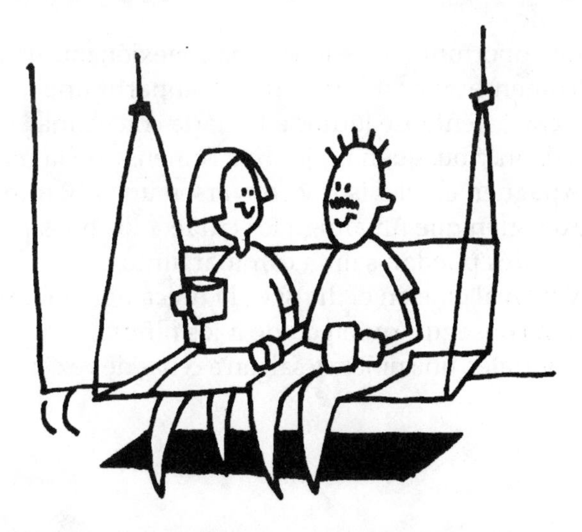

Tiempo juntos

Si las parejas se dan tiempo para estar juntas, tienen oportunidad de crecer juntas, lo cual es importante porque todos maduran y desarrollan otros intereses, cambios, perspectivas y evolucionan con el paso del tiempo. Estos cambios pueden enriquecernos si los compartimos. Asimismo, el amor y el placer por la mutua compañía crecen con la unión y el compartir, y necesitamos pasar tiempo juntos para esto. Si no nos hacemos ese tiempo, podemos terminar teniendo muy poco o nada en común cuando los hijos dejen el hogar Algunos padres, cuando sus hijos se van, se dan cuenta que son extraños con rostros familiares.

Hacer tiempo

Sugerimos que haga tiempo de dos maneras generales. Una es espontánea y la otra es planeada; éstas son algunas sugerencias para personas ocupadas que les interesa esta idea.

Espontánea

Busquen oportunidad de tener una conexión mutua rápida.

- Tómense cinco minutos para compartir una taza de té o café; siéntense juntos a tomarla con calma.
- Salgan y busquen un jardín. Tómense de la mano.
- Apaguen el televisor y conversen unos 10 minutos.
- Arreglen que un amigo les cuide a los hijos para que ustedes puedan salir a caminar juntos.
- Vayan al cine en el día si es la única hora en que pueden conseguir quien cuide a los niños.
- Contraten una niñera y salgan a cenar de vez en cuando.

Planeada
Hagan una cita de media hora de pareja cada día. Hacer la cita es útil porque subraya su importancia. Existen varias alternativas para esto:

- A la hora del desayuno
- Cuando los niños se hayan ido a la escuela
- A la hora de la comida
- Después de que lleguen a casa del trabajo
- Después de bañar a los niños
- Inmediatamente de acostar a los hijos
- A una hora específica por la tarde
- Mientras los niños hacen la tarea

Recuerden que el objetivo es conectarse como personas, no como madre y padre, pues la manera como usen este tiempo va a influir en el resultado. En este sentido, podemos hacerle algunas recomendaciones.

- Haga que el lugar donde se reúnen y lo que hagan sea lo más agradable posible para los dos.
- Comer o beber algo siempre es agradable para muchas personas.
- Concéntrense en lo bueno e interesante.
- Aprovechen la oportunidad para hablar de lo que les gusta del otro y de sus esperanzas y planes para el futuro mutuo.
- Subrayen las cosas satisfactorias, agradables y amorosas, cualquiera que sea el tema.
- Eviten conversar de los hijos. Éste momento es de ustedes.
- Y dejen la charla de problemas y dificultades para otro momento.

El manejo de los niños

Hacer planes prácticos para los niños durante su tiempo de pareja es obviamente importante, así que:

- Arregle que estén en otra área de la casa
- Los más pequeños pueden entretenerse solos estando con usted, pero que hagan lo suyo lo más posible
- Los mayores no necesitan estar en la habitación
- Los bebés necesitan más atención que los hijos de mayor edad, aunque no tienen que ser el centro de atención
- Si no pueden reunirse mientras los hijos están dormidos, traten de conversar de sus cosas e intereses cuando los estén cuidando.

Al tener tiempo para compartir con el otro se aumenta la solidez y el equilibrio como pareja, lo cual se transmite al resto de la familia y es bueno para todos. Ésta puede ser una motivación natural. De igual forma, los niños se adaptan pronto a las expectativas que son consistentes y a eventos regulares. Al establecer el patrón entre los dos, los niños se van a adaptar, y éste se convertirá en el "tiempo de papá y mamá", y lo van a respetar si usted espera eso de ellos.

Padres solos

Los hombres y mujeres que son padres solos también son personas, no sólo padres y madres. Ellos tienen la ventaja del contacto regular social con otros adultos, contactos que les brindan la oportunidad de intercambiar con otros intereses y asuntos de adultos. De igual forma, tienen amistades con otros adultos e intimidad.

Compartir nuestro tiempo con otros padres, sean solos o co-padres, es una manera de hacer esto. Buscar hacer nuevos amigos y mantenerse en contacto con los que ya se tiene son otras opciones y valen la pena el esfuerzo involucrado. Hacer de esto una prioridad puede rendir grandes frutos.

Biame Network

Biame Network Inc., es una organización internacional, educativa, sin fines de lucro, que es una Asociación Incorporada con miembros en muchos países. Fundada en 1984 por Ken y Elizabeth Mellor con el objetivo primordial de seguir un enfoque espiritual para ayudar a las personas a integrar un despertar individual con sus actividades cotidianas. Los enfoques desarrollados dentro de Network son realistas, prácticos y los usan fácilmente personas que viven dentro del mundo moderno. Tienen su origen en una variedad de tradiciones, pero no le deben lealtad a ninguna.

Las diversas actividades y programas de Network permiten a la gente usarla como recurso para muchos propósitos distintos. Las técnicas de amplio rango se tomaron de muchas partes del mundo, tanto en oriente como en occidente. Se ofrecen servicios en áreas que incluyen la salud personal y el bienestar, la autoadministración, la paternidad, la educación de maestros, el desarrollo de relaciones, el manejo de finanzas y negocios, el desarrollo comunitario, el cambio y el crecimiento personal, las prácticas y la evolución espirituales y el despertar espiritual avanzado. Los temas relacionados con la paternidad y otras áreas se encuentran a través de la tienda de la Network.

Háganos sus preguntas a:

Biame Network, P.O. Box 271, Seymour, Victoria 3661, Australia.
Tel. +61 3 5799 1198, Sin costo (en Australia) 1800 244 254
Fax. + 61 3 5799 11 32
Email: biamenet@eck.net.au
Sitio web: www.biamenetwork.net

Lecturas recomendadas

Amelia D. Auckett, ***Baby Massage,*** *Hill of Content, Melbourne, 1981.*

Steve and Shaaron Biddulph, ***The Making of Love: How to Grow in Today's Family and Find Fulfilment, Freedom and Love,*** *Doubleday, Sydney, 1988.*

Dr. Nora Duffield, ***Talking to Kids...With Feeling: A Book for Adults and Children,*** *Random House, Auckland, 1995.*

Thomas Gordon, ***Discipline That Works: Promoting Self-discipline in Children,*** *Plume, Nueva York, 1991.*

Thomas Gordon, ***PET: Parent Effectiveness Training,*** *New American Library Trade, Nueva York, 1990.*

Michael Green, ***Fathers After Divorce: Building A New Life and Becoming A Successful Separated Parent,*** *Finch Publishing, Sydney, 1998.*

James Hillman, ***The Soul's Code: In Search of Character and Calling,*** *Random House, Sydney, 1996.*

Sheila Kitzinger, ***The Crying Baby: Why Babies Cry, How Parents Feel, What You Can Do About It,*** *Viking, Londres, 1989.*

Jo Lamble and Sue Morris, ***Motherhood: Making It Work For You,*** *Finch Publishing, Sydney, 1999.*

Diana Mathew, ***The Money Tree,*** *Money Tree Management Service Pty. Ltd., Adelaide, 1996.*

Andrew Matthews, ***Being Happy: A Handbook to Greater Confidence and Security,*** *Media Masters, Singapore, 1988.*

Andrew Matthews, ***Making Friends: A Cuide to Getting Along With People,*** *Media Masters, Singapore, 1990.*

Susan Page, ***Now That I'm Married Why Isn't Every-***

thing Perfect? The 8 Essential Traits of Couples Who Thrive, *Bookman Press, Melbourne, 1994.*

Joseph Chilton Pearce, ***Magical Child: Rediscovering Nature's Plan of Our Children,*** *Paladin Books, London, 1979.*

Daniel Petre, ***Father Time: Making Time for Your Children,*** *Pan Macmillan, Sydney, 1998.*

Sue Wells, ***Life After Debt: Women's Survival Stories,*** *Scarlet Press, London, 1997.*

Sue Wells, ***Within Me, Without Me - Adoption: An Open and Shut Case?*** *Scarlet Press, London, 1994.*

Phyllis York, David York and Ted Wachtel, ***Toughlove,*** *Bantam Books, New York, 1983.*

Phyllis York, David York and Ted Wachtel, ***Toughlove Solutions: Runaways, Sex, Suicide, Drugs, Alcohol, Abuse, Disrupted Families, Community Indifference,*** *Bantam Books, New York, 1985.*

Índice analítico